周作人著作

苦茶随笔

钟叔河——编订

岳麓書社·长沙

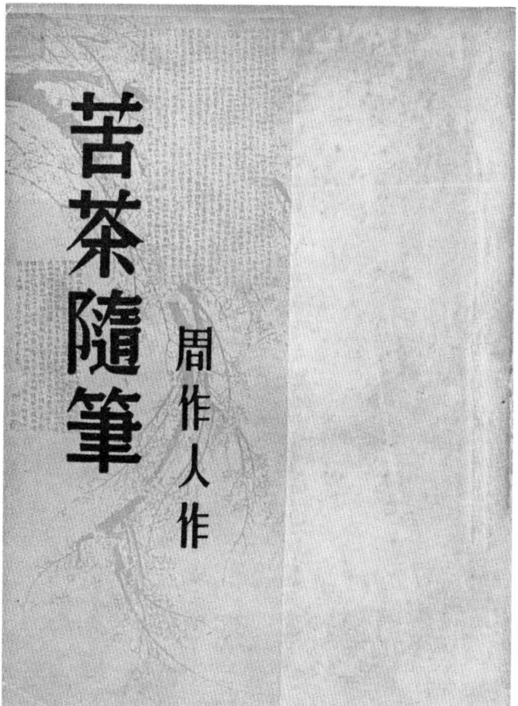

北新本《苦茶随笔》

岳麓书社开始重印

周作人著作

人归人，文归文。周作人其人的是非功过是另一问题，其书的主要内容是对传统文化和国民性进行反思，对中国——西方和中国——日本的文化历史进行比较研究，今之读者却不可不读。岳麓书社以编印《知堂书话》《知堂序跋》《知堂杂诗抄》之熟手，已经开始重印周作人的全部著作，1987—88两年内全部出齐，力求：

书价最便宜　　装帧最大方　　校订最精审

“民国”时期尤其是沦陷时期所印书，错字甚多。岳麓书社决定由编审亲任周氏著作的校订，对原印本错字悉予改正，同时仍列出勘误表，记载原有错讹，以便对勘，且示负责。各书均分单本平装、合订精装两种版本，一利卧读，一利庋藏。周氏的集外文和未刊稿，亦正请上海黄裳、北京舒芜、香港黄俊东、新加坡郑子瑜诸先生协助整理，由本社初版印行。特此广告，请读者速向当地新华书店预订。本社即将请各省市书店统一报数。

自己的园地　0.99元
雨天的书　0.90元
泽泻集　0.50元
过去的生命　0.45元
}大32开精装 合订本3.90元

谈龙集　0.90元
谈虎集　1.66元
}大32开精装 合订本3.95元

永日集　0.81元
看云集　0.95元
夜读抄　0.90元
}大32开精装 合订本3.90元

苦茶随笔　0.99元
苦竹杂记　1.05元
风雨谈　0.90元
}大32开精装 合订本4.35元

瓜豆集　0.99元
秉烛谈　0.81元
药堂语录　0.45元
药味集　0.70元
}大32开精装 合订本3.95元

药堂杂文　0.90元
书房一角　0.95元
秉烛后谈　0.80元
}大32开精装 合订本3.60元

苦口甘口　0.85元
立春以前　0.95元
过去的工作　0.54元
知堂乙酉文编　0.75元
}大32开精装 合订本4.00元

知堂回想录　2.90元（精装）4.50元

欧洲文学史　0.78元
艺术与生活　1.25元
儿童文学小论　0.53元
中国新文学的源流　0.55元
}大32开精装 合订本4.00元

〔以下系初版新书，不属重印〕

知堂集外文编（上、下）　7.00元
知堂书话（上、下）　6.00元
知堂序跋　3.20元
知堂杂诗抄　0.80元
儿童杂事诗（丰子恺插图）　1.20元

编者的话

钟叔河

一九八七年一月七日《光明日报》上，岳麓书社刊出了我拟稿的一帧广告（左图），宣布了书社和我对重印周作人著作的观点：

“人归人，文归文。周作人其人的是非功过是另一问题，其书的主要内容是对传统文化和国民性进行反思，对中国—西方和中国—日本的文化历史进行比较研究，今之读者却不可不读。……”

随即便开始出书。既出周作人著作的单行本，也出精装合订本。两年之间，出了二十四种。

书当然不是想出便能出的，得按规矩，走程序。周家授权了，报告批复了，宋木文、杨牧之、伍杰各位领导都当面或来信表示应允和支持了，便能够出了。

出就得出好。当时强调了两条：（一）因为均系据旧本重印，所以一定要认真校订，尽力改正旧本误植失校的错误；（二）因为手稿不存，无法对勘，所以一定要详出校记，改动处一概保留原文，承担责任。

这两条，读者看来大都是认可的。直到如今，在旧书网上，八十年代“岳麓版”的周作人著作，始终都卖得不错。

现在，岳麓书社决定又来重版周作人著作，仍然要我负责编订，做法则一仍其旧。还是这些书，还是这两条，新的广告也就不必再做了。

鄢琨君三十年前和我同编了这些书，此次仍然合作，所有案头工作都是他做，各书重版说明也多是他写的。校记原列表在书末，如今改作尾注。鄢君新增校改之处，标出“鄢校”，特此说明，并志感谢。

二〇一八年五月十五日于长沙。

重版说明

《苦茶随笔》，一九三五年十月北新书局初版，有小引一篇，后记一篇，收一九三四年十月至一九三五年五月所作文四十九篇。

“苦茶随笔”原是作者一九三一年十一月起为《东方杂志》撰写随笔的专栏名目，但仅发表了《小引》《〈黄蔷薇〉》《〈远野物语〉》，因一·二八事变突发，“闸北毁于兵火，好几篇随笔都不存稿，也无从追录”（《〈儿童文学小论〉序》），于是专栏停开。随后《〈黄蔷薇〉》《〈远野物语〉》被编入《夜读抄》，《小引》则收入了《苦雨斋序跋文》。

这样，便有了两篇《〈苦茶随笔〉小引》。《东方杂志》和《苦雨斋序跋文》的《〈苦茶随笔〉小引》，末署“民国二十年十一月九日，于北平”。《苦茶随笔》书前的《小引》，末署“中华民国二十四年八月十五日，于北平苦竹斋，知堂记”，而且它随后又以《杜牧之句》为题，收入了《苦竹杂记》。

本社一九八七年七月据北新本校订印行，并将《苦雨斋序跋文》所收的《〈苦茶随笔〉小引》增作附录。此次仍据该本加校重版。

目　录

小引

《困学纪闻》卷十八评诗有一节云："忍过事堪喜，杜牧之《遣兴》诗也，吕居仁《官箴》引此误以为少陵。"翁注引《官箴》原文云：

> 忍之一字，众妙之门，当官处事，尤是先务。若能于清谨勤之外更行一忍，何事不办。《书》曰，必有忍其乃有济。此处事之本也。谚曰，忍事敌灾星。少陵诗曰，忍过事堪喜。此皆切于事理，非空言也。王沂公常言，吃得三斗酽醋方做得宰相，盖言忍受得事。

中国对于忍的说法似有儒释道三派，而以释家所说为最佳。《翻译名义集》卷七《辨六度法篇》第四十四云：

> 羼提，此云安忍。《法界次第》云，秦言忍辱，内心能安忍外所辱境，故名忍辱。忍辱有二种，一者生忍，二者法忍。云何名生忍？生忍有

二种，一于恭敬供养中能忍不著，则不生骄逸，二于瞋骂打害中能忍，则不生瞋恨怨恼。是为生忍。云何名法忍？法忍有二种，一者非心法，谓寒热风雨饥渴老病死等，二者心法，谓瞋恚忧愁疑淫欲骄慢诸邪见等。菩萨于此二法能忍不动，是名法忍。

《诸经要集》卷十下，《六度部》第十八之三，《忍辱篇·述意缘》第一云：

盖闻忍之为德最为尊上，持戒苦行所不能及，是以羼提比丘被刑残而不恨，忍辱仙主受割截而无瞋。且慈悲之道救拔为先，菩萨之怀愍恻为用，常应遍游地狱，代其受苦，广度众生，施以安乐，岂容微有触恼，大生瞋恨，乃至角眼相看，恶声厉色，遂加杖木，结恨成怨。

这位沙门道世的话比较地说得不完备，但是辞句鲜明，意气发扬，也有一种特色。劝忍缘第二引《成实论》云：

恶口骂辱，小人不堪，如石雨鸟。恶口骂詈，大人堪受，如华雨象。

二语大有六朝风趣，自然又高出一头地了。中国儒家的说法当然以孔孟为宗，《论语》上的“小不忍则乱大谋”似乎可以作为代表，他们大概并不以忍辱本身为有价值，不过为要达到某一目的姑以此作为手段罢了。最显著的例是越王勾践，其次是韩信，再其次是张公艺，他为的要勉强糊住那九世同居的局面，所以只好写一百个忍字，去贴上一张大水膏药了。道家的祖师原是庄老，要挑简单的话来概括一下，我想《阴符经》的“安莫安于忍辱”这一句话倒是还适当的吧。他的使徒可以推举唐朝娄师德娄中堂出来做领班。其目的本在苟全性命于乱世，忍辱也只是手段，但与有大谋的相比较就显见得很有不同了。要说积极的好，那么儒家的忍自然较为可取，不过凡事皆有流弊，这也不是例外，盖一切钻狗洞以求富贵者都可以说是这一派的末流也。

且不管儒释道三家的优劣怎样，我所觉得有趣味的是杜牧之他何以也感到忍过事堪喜？我们心目中的小杜仿佛是一位风流才子，是一个堂躐（Don Juan），该是无忧无虑地过了一世的吧。据《全唐诗话》卷四云：

> 牧不拘细行，故诗有十年一觉扬州梦，赢得青楼薄倖名。

又《唐才子传》卷六云：

> 牧美容姿，好歌舞，风情颇张，不能自遏。时淮南称繁盛，不减京华，且多名姬绝色，牧恣心赏，牛相收街吏报杜书记平安帖子至盈箧。

这样子似乎很是阔气了，虽然有时候也难免有不如意事，如传闻的那首诗云：

自恨寻芳去较迟，不须惆怅怨芳时，

如今风摆花狼藉，绿叶成阴子满枝。

但是，这次是失意，也还是风流，老实说，诗却并不佳。他什么时候又怎么地忍过，而且还留下这样的一句诗可以收入《官箴》里去的呢？这个我不能知道，也不知道他的忍是哪一家派的。可是这句诗我却以为是好的，也觉得很喜欢，去年还在日本片濑地方花了二十钱烧了一只小花瓶，用蓝笔题字曰：

忍过事堪喜。甲戌八月十日于江之岛，书杜牧之句制此。知堂。

瓶底画一长方印，文曰，“苦茶庵自用品”。这个花瓶现在就搁在书房的南窗下。我为什么爱这一句诗呢？人家的事情不能知道，自己的总该明白吧。自知不是容易事，但也还想努力。我不是尊奉它作格言，我是赏识它的境界。这有如吃苦茶。苦茶并不是好吃的，平常的茶小孩也要到十几岁才肯喝，咽一口酽茶觉得爽快，这是大人的可怜处。人生的“苦甜”，如古希腊女诗人之称恋爱。《诗》云，谁谓荼苦，其甘如荠。这句老话来得恰好。中国万事真真是“古已有之”，此所以大有意思欤。

（中华民国二十四年八月十五日，于北平苦竹斋，知堂记）

关于苦茶

去年春天偶然做了两首打油诗，不意在上海引起了一点风波，大约可以与今年所谓中国本位的文化宣言相比，不过有这差别，前者大家以为是亡国之音，后者则是国家将兴必有祯祥罢了。此外也有人把打油诗拿来当作历史传记读，如字的加以检讨，或者说玩骨董那必然有些钟鼎书画吧，或者又相信我专喜谈鬼，差不多是蒲留仙一流人。这些看法都并无什么用意，也于名誉无损，用不着声明更正，不过与事实相远这一节总是可以奉告的。其次有一件相像的事，但是却颇愉快的，一位友人因为记起吃苦茶的那句话，顺便买了一包特种的茶叶拿来送我。这是我很熟的一个朋友，我感谢他的好意，可是这茶实在太苦，我终于没有能够多吃。

据朋友说这叫作苦丁茶。我去查书，只在日本书上查到一点，云系山茶科的常绿灌木，干粗，叶亦大，长至三四寸，晚秋叶腋开白花，自生山地间，日本名曰唐茶（Tocha），一名龟甲茶，汉名皋芦，亦云苦丁。赵学敏《本草拾遗》卷六云：

角刺茶，出徽州。土人二三月采茶时兼采十大功劳叶，俗名老鼠刺，叶曰苦丁，和匀同炒，焙成茶，货与尼庵，转售富家妇女，云妇人服之终身不孕，为断产第一妙药也。每斤银八钱。

案十大功劳与老鼠刺均系五加皮树的别名，属于五加科，又是落叶灌木，虽亦有苦丁之名，可以制茶，似与上文所说不是一物，况且友人也不说这茶喝了可以节育的。再查类书关于皋芦却有几条，《广州记》云：

皋卢，茗之别名，叶大而涩，南人以为饮。

又《茶经》有类似的话云：

南方有瓜芦木，亦似茗，至苦涩，取为屑茶饮，亦可通夜不眠。

《南越志》则云：

茗苦涩，亦谓之过罗。

此木盖出于南方，不见经传，皋卢云云本系土俗名，各书记录其音耳。但是这是怎样的一种植物呢，书上都未说及，我只好从茶壶里去拿出一片叶子来，仿佛制腊叶似的弄得干燥平直了，仔细看时，我认得这乃是故乡常种的一种坟头树，方言称作枸朴树的就是，叶长二寸，宽一寸二分，边有细锯齿，其形状的确有点像龟壳。原来这可以泡茶吃的，虽然味大苦涩，不但我不能多吃，便是且将就斋主人也只喝了两口，要求泡别的茶吃了。但是我很觉得有兴趣，不知道在白菊花以外还有些什么叶子可以当茶？《毛诗草木鸟兽虫鱼疏》“山有楞[①]”一条下云：

山樗生山中，与下田樗大略无异，叶似差狭耳，吴人以其叶为茗。

《五杂组》卷十一云：

以绿豆微炒，投沸汤中倾之，其色正绿，香味亦不减新茗，宿村中觅茗不得者可以此代。

此与现今炒黑豆作咖啡正是一样。又云：

北方柳芽初茁者采之入汤，云其味胜茶。曲阜孔林楷木其芽可烹。闽中佛手柑橄榄为汤，饮之清香，色味亦旗枪之亚也。

卷十“记孔林楷木”条下云：

其芽香苦，可烹以代茗，亦可干而茹之，即俗云黄连头。

孔林吾未得瞻仰，不知楷木为何如树，唯黄连头则少时尝茹之，且颇喜欢吃，以为有福建橄榄豉之风味也。关于以木芽代茶，《湖雅》卷二亦有二则云：

桑芽茶，案山中有木俗名新桑荑，采嫩芽可

代茗，非蚕所食之桑也。

柳芽茶，案柳芽亦采以代茗，嫩碧可爱，有色而无香味。

汪谢城此处所说与谢在杭不同，但不佞却有点左袒汪君，因为其味胜茶的说法觉得不大靠得住也。

许多东西都可以代茶，咖啡等洋货还在其外，可是我只感到好玩，有这些花样，至于我自己还只觉得茶好，而且茶也以绿的为限，红茶以至香片嫌其近于咖啡，这也别无多大道理，单因为从小在家里吃惯本山茶叶耳。口渴了要喝水，水里照例泡进茶叶去，吃惯了就成了规矩，如此而已。对于茶有什么特别了解，赏识，哲学或主义么？这未必然。一定喜欢苦茶，非苦的不喝么？这也未必然。那么为什么诗里那么说，为什么又叫作庵名，岂不是假话么？那也未必然。今世虽不出家亦不打诳语。必要说明，还是去小学上找罢。吾友沈兼士先生有诗为证，题曰《又和一首自调》，此系后半首也：

端透于今变澄彻，鱼模自古读歌麻。

眼前一例君须记，荼苦原来即苦荼。

（二十四年二月）

【锺校】

①"槚"原作"梈"。

骨董小记

从前偶然做了两首打油诗，其中有一句云，老去无端玩骨董，有些朋友便真以为我有些好古董，或者还说有古玩一架之多。我自己也有点不大相信了，在苦雨斋里仔细一查，果然西南角上有一个书橱，架上放着好些——玩意儿。这书橱的格子窄而且深，全橱宽只一公尺三五，却分作三份，每份六格，每格深二三公分，放了“四六判”的书本以外，大抵还可空馀八公分，这点地方我就利用了来陈列小小的玩具。这总计起来有二十四件，现在列记于下。

一、竹制黑猫一，高七公分，宽三公分。竹制龙舟一，高八公分，长七公分，是一个友人从长崎买来送我的。竹木制香炉各一，大的高十公分，小者六公分，都从东安市场南门内摊上买来。

二、土木制偶人共九，均日本新制，有雏人形，博多人形，仿御所人形各种，有“暂”，“鸟边山”，

“道成寺”各景，高自三至十六公分。松竹梅土制白公鸡一，高三公分。

三、面人三，隆福寺街某氏所制，魁星高六公分，孟浩然连所跨毛驴共高四公分，长眉大仙高四公分，孟浩然后有小童杖头挑壶卢随行，后有石壁，外加玻璃盒，价共四角。搁在斋头已将一年，面人幸各无恙，即大仙细如蛛丝的白眉亦尚如故，真可谓难得也。

四、陶制舟一，高六公分，长十二公分，底有印曰一休庵。篷作草苫，可以除去，其中可装柳木小剔牙签，船头列珊瑚一把，盖系“宝船”也。又贝壳舟一，象舟人着蓑笠持篙立筏上，以八棱牙贝九个，三贝相套为一列，三列成筏，以瓦楞子作蓑，梅花贝作笠，黄核贝作舟人的身子，篙乃竹枝。今年八月游江之岛，以十五钱买得之，虽不及在小凑所买贝人形“挑水”之佳，却也别有风致，盖挑水似艳丽的人物画，而此船则是水墨山水中景物也。

五、古明器四，碓灶猪人各一也。碓高二公分，宽四公分，长十三公分。灶高八公分半，宽九公分。猪高五公分，长十一公分。人高十二公分。大抵都是唐代制品，在洛阳出土的。又自制陶器花瓶一，高八公分，中径八公分，上下均稍小，题字曰：忍过事堪喜。甲戌八月十日在江之岛书杜牧之句制此，知堂。底长方格内文曰，苦茶庵自用品。其实这是在江之岛对岸的片濑所制，在素坯上以破笔蘸蓝写字，当场现烧，价二十钱也。

六、方铜镜一，高广各十一公分，背有正书铭十六字，文曰：既虚其中，亦方其外，一尘不染，万物皆备。其下一长方印，篆文曰薛晋侯造。

总算起来，只有明器和这镜可以说是古董。薛晋侯镜之外还有一面，虽然没有放在这一起，也是我所喜欢的。镜作葵花八瓣形，直径宽处十一公分半，中央有长方格，铭两行曰：湖州石十五郎炼铜照子。明器自罗振玉的《图录》后已著于录，薛石的镜子更是文献足征了。汪曰桢《湖雅》卷九云：

> 《乌程刘志》：湖之薛镜驰名，薛杭人而业于湖，以磨镜必用湖水为佳。案薛名晋侯，字惠公，明人，向时称薛惠公老店，在府治南宣化坊。

又云：

> 《西吴枝乘》：镜以吴兴为良，其水清冽能发光也。予在婺源购得一镜，水银血斑满面，开之止半面，光如上弦之月。背铸字两行云，湖州石十三郎自照青铜监子，十二字，乃唐宋殉葬之物也。镜以监子名，甚奇。案宋人避敬字嫌名，改

镜曰照子，亦曰鉴子，监即鉴之省文，何足为异。此必宋制，与唐无涉，且明云自照，乃生时所用，亦非殉葬物也。

梁廷枏《藤花亭镜谱》卷四亦已录有石氏制镜，文曰：

南唐石十姐镜：葵花六瓣，全体平素，右作方格而中分之，识分两行，凡十有二字，正书，曰，湖州石十姐摹练铜作此照子。予尝见姚雪逸司马衡藏一器，有柄，识曰，湖州石念二叔照子。又见两拓本，一云，湖州石十五郎炼铜照子，一云，湖州石十四郎作照子，并与此大同小异，此云十姐，则石氏兄弟姊妹咸擅此技矣。云照子者亦唯石氏有之，古不过称鉴称镜而已。石氏南唐人，据姚司马考之如此。

南唐人本无避宋讳之理，且湖州在宋前也属于吴越，不属南唐，梁氏自己亦以为疑，但深信姚司马考据必有所本，定为南唐，未免是千虑一失了。

但是我总还不很明白骨董究竟应该具什么条件。据说骨董原来只是说古器物，那么凡是古时的器物便都是的，虽然这时间的问题也还有点麻烦。例如巨鹿出土的宋大观年代的器物当然可以算作骨董了，那些陶器大家都知宝藏，然而午门楼上的板桌和板椅真是历史上的很好材料，却总没法去放在书房里做装饰，固然难找得第二副，就是想放也是枉然。由此看来，古器物中显然可以分两部分，一是古物，二仍是古物，但较小而可玩者，因此就常被称为古玩者是也。镜与明器大抵可以列入古玩之部罢，其馀那些玩物，可玩而不古，那么当然难以冒扳华宗了。古玩的趣味，在普通玩物之上又加上几种分子。其一是古。古的好处何在，各人说法不同，要看他是哪一类的人。假如这是宗教家派的复古家，古之所以可贵者便因其与理想的天国相近。假如这是科学家派的考古家，他便觉得高兴，能够在这些遗物上窥见古时生活的一瞥。不佞并不敢自附于哪一派，如所愿则还在那别无高古的理想与热烈的情感的第二种人。我们看了宋明的镜子未必推测古美人的梳头匀面，“颇涉遐想”，但借此知道那时照影用的是有这一种式样，就得满足，于形色花样之外又增加一点兴味罢了。再说古玩的价值其二是稀。物以稀为贵，现存的店铺还要标明只此一家以见其名贵，何况古物，书夸孤本，正是应该。不过在这一点上我不甚赞同，因为我所有的都是常有多有的货色，大抵到每一个古董摊头去一张望即可发见有类似品的。此外或者还可添加一条，其三是贵。稀则必贵，此一理也。贵则必好，大官富贾买古物如金刚宝石然，此又一理也。若不佞则无从措辞矣，赞成乎？无钱；反对乎？殆若酸蒲桃。总而言之，我所有的虽也难说贱却也决不贵。明器在国初几乎满街皆是，一个一只洋耳，镜则都在绍兴从大坊口至三埭街一带地方得来，在铜店柜头杂置旧锁钥匙小件铜器的匣中检出，价约四角至六角之谱，其为我买来而不至被烊改作铜火炉者，盖偶然也。然亦有较贵者，小偷阿桂携来一镜，背作月宫图，以一元买得，此镜《藤花亭镜[1]谱》亦著录，定为唐制，但今已失去。

玩骨董者应具何种条件？此亦一问题也。或曰，其人应极旧，如是则表里统一，可以养性。或曰，其人须极新，如是则世间谅解，可以免骂。此二说恐怕都有道理，不佞不能速断。但是，如果二说成立其一，于不佞皆大不利，无此资格而玩骨董，不佞亦自知其不可矣。

（二十三年十月）

【锺校】

①原无“镜”字，今增。

《论语》小记

近来拿出《论语》来读，这或者由于听见南方读经之喊声甚高的缘故，或者不是，都难说。我是读过四书五经的，至少《大》《中》《论》《孟》《易》《书》《诗》这几部都曾经背诵过，前后总有八年天天与圣经贤传为伍，现今来清算一下，到底于我有什么好处呢？这个我恐怕要使得热诚的儒教徒听了失望，实在没有什么。现在只说《论语》。

我把《论语》白文重读一遍，所得的印象只是平淡无奇四字。这四个字好像是一个盾，有他的两面，一面凸的是切实，一面凹的是空虚。我觉得在《论语》里孔子压根儿只是个哲人，不是全知全能的教主，虽然后世的儒教徒要奉他做祖师，我总以为他不是耶稣而是梭格拉底之流亚。《论语》二十篇所说多是做人处世的道理，不谈鬼神，不谈灵魂，不言性与天道，所以是切实。但是这里有好思想也是属于持身接物的，可以供后人的取法，却不能定作天经地义的教条，更没有什么政治哲学的精义，可以治国平天下，假如从这边去看，那么正是空虚了。平淡无奇，我凭了这个觉得《论语》仍可一读，足供常识完具的青年之参考。至于以为圣书则可不必，太阳底下本无圣书，非我之单看不起《论语》也。

一部《论语》中有好些话都说得很好，我所喜欢的是这几节，其一是《为政》第二的一章：

> 子曰，由，诲汝知之乎？知之为知之，不知为不知，是知也。

其二是《阳货》第十七的一章：

> 子曰，予欲无言。子贡曰，子如不言，则小子何述焉？子曰，天何言哉？四时行焉，百物生焉，天何言哉？

太炎先生《广论语骈枝》引《释文》，鲁读天为夫："言夫者即斥四时行百物生为言，不设主宰，义似更远。"无论如何，这一章的意思我总觉得是很好的。又《公冶长》第五云：

> 颜渊季路侍，子曰，盍各言尔志。子路曰，愿车马衣轻裘，与朋友共，敝之而无憾[①]。颜渊曰，愿无伐善，无施劳。子路曰，愿闻子之志。子曰，老者安之，朋友信之，少者怀之。

我喜欢这一章，与其说是因为思想，还不如说因为它的境界好。师弟三人闲居述志，并不像后来文人的说大话，动不动就是揽辔澄清，现在却只是老老实实地说说自己的愿望，虽有大小广狭之不同，其志在博施济众则无异，而说得那么质素，又各有分寸，恰如其人，此正是妙文也。我以为此一章可以见孔门的真气象，至为难得，如《先进》末篇子路曾晳冉有公西华侍坐那一章便不能及。此外有两章，我读了觉得颇有诗趣，其一《述而》第七云：

> 子曰，饭疏食饮水，曲肱而枕之，乐亦在其中矣。不义而富且贵，于我如浮云。

其二《子罕》第九云：

> 子在川上曰，逝者如斯夫，不舍昼夜。

本来这种文章如《庄子》等别的书里，并不算希奇，但是在《论语》中却不可多得了。朱注已忘记，大家说他此段注得好，但其中仿佛说什么道体之本然，这个我就不懂，所以不敢恭维了。《微子》第十八中又有一章狠特别的文章云：

> 大师挚适齐，亚饭干适楚，三饭缭适蔡，四饭缺适秦，鼓方叔入于河，播鼗武入于汉，少师阳击磬襄入于海。

不晓得为什么缘故，我在小时候读《论语》读到这一章，很感到一种悲凉之气，仿佛是大观园末期，贾母死后，一班女人都风流云散了的样子。这回重读，仍旧有那么样的一种印象，我前后读《论语》相去将有四十年之谱，当初的印象保存到现在的大约就只这一点了罢。其次那时我所感到兴趣的记隐逸的那几节，如《宪问》第十四云：

子路宿于石门。晨门曰，奚自？子路曰，自孔氏。曰，是知其不可而为之者与？

子击磬于卫。有荷蒉而过孔氏之门者，曰，有心哉，击磬乎！既而曰，鄙哉，硁硁乎，莫己知也，斯已而已矣。深则厉，浅则揭。子曰，果哉，末之难矣。

又《微子》第十八云：

楚狂接舆歌而过孔子之门，曰，凤兮凤兮，何德之衰。往者不可谏，来者犹可追。已而已而，今之从政者殆而。孔子下，欲与之言。趋而避之，不得与之言。

长沮桀溺耦而耕。孔子过之，使子路问津焉。长沮曰，夫执舆者为谁？子路曰，为孔丘。曰，是鲁孔丘与？曰，是也。曰，是知津矣。问于桀溺，桀溺曰，子为谁？曰，为仲由。曰，是鲁孔丘之徒与？对曰，然。曰，滔滔者天下皆是也，而谁以易之，且而与其从辟人之士，岂若从辟世之士哉。耰而不辍。子路行以告，夫子怃然曰，鸟兽不可与同群，吾非斯人之徒与而谁与？天下有道，丘不与易也。

子路从而后，遇丈人以杖荷蓧。子路问曰，子见夫子乎？丈人曰，四体不勤，五谷不分，孰为夫子？植其杖而芸。子路拱而立。止子路宿，杀鸡为黍而食之，见其二子焉。明日子路行以告，子曰，隐者也。使子路反见之，至，则行矣。子路曰，不仕无义。长幼之节，不可废也，君臣之义，如之何其废之？欲洁其身而乱大伦。君子之仕也，行其义也，道之不行也，已知之矣。

在这几节里我觉得末了一节顶好玩，把子路写得很可笑。遇见丈人，便脱头脱脑地问他有没有看见我的老师，难怪碰了一鼻子灰，于是忽然十分恭敬起来，站了足足半天之后，跟了去寄宿一夜。第二天奉了老师的命再去看，丈人已经走了，大约是往田里去了吧，未必便搬家躲过，子路却在他的空屋里大发其牢骚，仿佛是戏台上的独白，更有点儿滑稽，令人想起夫子的“由也喭”这句话来。所说的话也夸张无实，大约是子路自己想的，不像孔子所教。下一章里孔子品评夷齐等一班人，“谓虞仲夷逸隐居放言，身中清，发中权”，虽然后边说我则异于是，对于他们隐居放言的人别无责备的意思，子路却说欲洁其身而乱大伦，何等言重，几乎有孟子与人争辩时的口气了。孔子自己对他们却颇客气，与接舆周旋一节最可看，一个下堂欲与之言，一个趋避不得与之言，一个狂，一个中，都可佩服，而文章也写得恰好，长沮桀溺一章则其次也。

我对于这些隐者向来觉得喜欢，现在也仍是这样，他们所说的话大抵都不错。桀溺曰，滔滔者天下皆是也，而谁以易之，最能说出自家的态度。晨门曰，是知其不可而为之者，最能说出孔子的态度。说到底，二者还是一个源流，因为都知道不可，不过一个还要为，一个不想再为罢了。周朝以后一千年，只出过两个人，似乎可以代表这两派，即诸葛孔明与陶渊明，而人家多把他们看错作一姓的忠臣，令人闷损。中国的隐逸都是社会或政治的，他有一肚子理想，却看得社会浑浊无可实施，便只安分去做个农工，不再来多管，见了那知其不可而为之的人，却是所谓惺惺惜惺惺，好汉惜好汉，想了方法要留住他。看上面各人的言动虽然冷热不同，全都是好意，毫没有“道不同不相与谋”的意味，孔子的应付也是如此，这是颇有意思的事。外国的隐逸是宗教的，这与中国的截不相同。他们独居沙漠中，绝食苦祷，或牛皮裹身，或革带鞭背，但其目的在于救济灵魂，得遂永生，故其热狂实在与在都市中指挥君民焚烧异端之大主教无以异也。二者相比，似积极与消极大有高下，我却并不一定这样想。对于自救灵魂我不敢赞一辞，若是不惜用强硬手段要去救人家的灵魂，那大可不必，反不如去荷蒉植杖之无害于人了。我从小读《论语》，现在得到的结果，除中庸思想外，乃是一点对于隐者的同情，这恐怕也是出于读经救国论者“意表之外”的罢？

（二十三年十二月）

【锺校】

①“憾”原作“恨”。

《洗斋病学草》

民国以来我时常搜集一点同乡人的著作。这其实也并不能说是搜集，不过偶然遇见的时候把他买来，却也不是每见必买，价目太贵时大抵作罢。贵与不贵本来没有一定标准，我的标准是我自己擅定的，大约十元以内的书总还想设法收得，十元以上便是贵，十五元以上则是很贵了。贵的书我只买过两三部，一是陶元藻的《泊鸥山房集》，一是鲁曾煜的《秋塍文钞》，——鲁启人是汤绍南的老师，《秋塍三州诗钞》又已有了，所以也把《文钞》搜了来，可是实在觉得没有什么好处。因为这种情形，既不广收罗，又是颇吝啬，所以搜的书清朝的别集一部分一总只有百五十部，其中还有三五部原是家藏旧有的。

看同乡人的文集，有什么意思呢？以诗文论，这恐怕不会有多大意思。吾乡近三百年不曾出什么闻人，除章实斋是学者外，——因为我所说的只是山阴会稽的小同乡，所以邵念鲁也没有算在里面，——只有胡天游王衍梅几个人略有名声，最近则李慈铭，但这些大都还是一种正宗里的合作，在我既然不懂得，也不感到兴趣，《越缦堂日记》或者要算是例外。近代的人用了传统的五七言和古文辞能够做出怎样的东西呢？载道，或者是的，不过这于我没有缘分。要能言志，能真实的抒写性情，乃是绝不容易的事。高明如陆放翁，诗稿有八十卷之多，而其最佳的代表作据我看来还只是沈园柳老不飞绵等几章，其他可知矣。还有纪事与写景呢？事与景之诗或者有做得工的，我于此却也并没有什么嗜好，大约还是这诗中的事与景，能够引起我翻阅这些诗文集的兴趣。因为“乡曲之见”，所以搜集同乡人的著作，在这著作里特别对于所记的事与景感到兴趣，这也正由于乡曲之见。纪事写景之工者亦多矣，今独于乡土著述中之事与景能随喜赏识者，盖因其事多所素知，其景多曾亲历，故感觉甚亲切也。其实这原来也并不限于真正生长的故乡，凡是住过较长久的地方大抵都有这种情形，如江宁与北京，读《帝京景物略》于其文章之外也觉得别有可喜，只是南京一略未得见，乃大可惜耳。

但是诗文集中带有乡土色彩的却是极少，我所看过的里边只有一种较可取，这乃是家中旧有的一部，是作者的儿子在光绪丙戌（1886）年送给先君的。书名《洗斋病学草》，凡二卷，光绪甲申刊，题踵息道人著，有自序，有道装小像，以离合体作赞，隐浙江山阴胡寿颐照八[①]字。胡字梅仙，光绪丁卯举人，自序言性喜泰西诸书，读之得以知三才真形，万物实理。集卷上有《感事漫赋》四首，分咏天主堂同文馆机器局招商局，诗未佳而思想明通，又卷下《咏化学》二首，注云："泰西初译是书，尽泄造化之秘，华人未能悉读，多不之信。"序又言年三十七以病废，废四年始学诗自遣，学六年以病剧辍，先君题识谓其艰于步履，盖是两足痿痹也。全集诗才二百十首，所咏却多特殊的事物，颇有意思。如卷上有《香奁新咏》，序云：

> 古人咏香奁者多矣，余复何赘。唯有数事为时世装，登徒子皆酷爱焉，鄙意总以为不雅，援笔赋之。世有宋玉其人者，庶以余言为不谬尔。

其题凡四：

一、俏三寸。注云："脑后挽小髻，长仅三寸，初起江苏上海，今已遍传吴越，服妖也。"

二、玉搔头。注云："古有是饰，今间以五色，有插至数十枚者，抑何可笑也。"

三、侧托。注云："髻上横签，排列多齿，以金为之，或饰以玉石。”

四、齐眉。注云：“额前珠络，一名西施额。”

查范寅《越谚》卷中服饰类中只有齐眉一条，其注云：“此与网钗大同小异，彼双此单，彼分布两边，此独障额前，珠络齐眉而止，亦新制，起于咸丰年，奢华极矣。”俏三寸在小时候亦曾见过，仿佛如三河老妈子所梳，状似络纬肚者，不知范君何以一笔抹杀都不收入也。卷下又有《花爆八咏》，序云：

> 新春儿童竞放花爆，未知始于何时，名目奇异，古书亦未经见，习俗相沿，颇有意义，爰为分咏八绝，聊以讽世云尔。

所咏八种为花筒、赛月明、金盆捞月、双飞胡蝶、滴滴金、九龙治水、穿线牡丹、过街流星。其讽世无甚足取，但记录这些花爆的名目却是有意义的事。有些都是当年玩过的东西，却不知道现在的乡间小儿们也还玩不。会考之后继以读经，恐怕现代的小朋友未必会有我们那时候的闲适罢？

又卷上有《越腊旧俗》诗共六首，凡三题：

一、跳泥人。注云：“一人戴草圈，袒背，自首以下悉涂泥，比户跳舞，名曰跳泥人，跳字越音讹条。”

二、跳黄牛。注云：“一人缚米囊作两角状蒙其首，一人牵其绳至市间进吉语，呼其人作牛鸣以应，名曰跳黄牛。”

三、跳灶王。注云：“一童盔兜装灶神，一妇人击小铜钲，媚以谀词，名曰跳灶王。三事皆乞丐为之。”案跳字越有二音，一读如挑去声，即跳跃义，一读如条，平声，谓两脚伸缩上下践地也，二义不同。此处跳字又引伸有扮演义，乡间演戏开场必先演八仙上寿曰请寿，次出魁星曰踢魁，次出财神曰跳财神，亦读条，《越谚》中写作足下火字。

《越谚》卷中技术类中只列跳灶王一条，注云：“仲冬，成群锣唱，掞脸，蒙倛，即古傩也。”所云仲冬盖误，平常总在年底才有。顾禄《清嘉录》卷十二云：

> 跳灶王。跳俗呼如条音，王呼作巷平声。
>
> 月朔，乞儿三五人为一队，扮灶公灶婆，各执竹杖，噪于门庭以乞钱，至二十四日止，谓之跳灶王。周宗泰姑苏竹枝词云，又是残冬急景催，街头财马店齐开，灶神人媚将人媚，毕竟钱从囊底来。

注引《坚瓠集》云，今吴中以腊月一日行傩，至二十四日止，丐者为之，谓之跳灶王。《武林旧事》虽亦云二十四日市井迎傩，跳灶王之名恐最早见于褚书也。又引吴曼云《江乡节物词》小序云，杭俗跳灶王，丐者至腊月下旬涂粉墨于面，跳踉街市，以索钱米。江浙风俗多相似，跳灶王一事其分布即颇广，《清嘉录》十二月分中虽别录有跳钟馗，而泥人黄牛则悉不载，且《越谚》亦并缺此二项，洗斋之记录尤可感谢了。

卷下又有《越谣》五首，注云，吾乡俗说多有古意，谱以韵语，使小儿歌之。题目凡五：

一、夜叉降海来。注云："夏日暴雨，多以是语恐小儿。"案降字疑应作扛，夏天将下阵雨，天色低黑，辄云夜叉扛海来，却不记得用以恐吓小儿。

二、山里山。注云："谚云，山里山，湾里湾，萝卜开花即牡丹。"

三、上湖春。注云："小蚌别名，谑语也。"诗云："渔舟斜渡绿杨津，一带人家傍水滨，村女不知乡语谑，门前争买上湖春。"案蚌蛤多为猥亵俗语，在外国语中亦有之。上湖春，越语上字读上声。

四、水胡芦。注云："野鸭别名，即凫之最小者。"

五、花秋。注云："早稻别种。"诗云："祈晴祈雨听鸣鸠，未卜丰收与歉收，注定板租无荒旱，山家一半种花秋。"案佃户纳租按收成丰歉折算，每年无定，唯板租则酌定数目，不论荒旱一律照纳也。

以上五者，一系成语，二为儿歌，《越谚》卷上录有全文。三至五均系名物，《越谚》未收。范啸风盖畸人，《越谚》亦是一部奇书。但其诗文却甚平凡，殊不可解。近来得见其未刊稿本，有《墨妙斋诗稿》六卷，乃极少可取者，唯卷五杂咏中有《抓破脸》四绝句，注云："白桃花而有红点者，俗以此名之。"诗不佳而题颇有意思，但这却并不是越中事物，不特未曾听过此名，即此三字亦非越语也。

卷下又有四首七绝，题曰《间壁艳妇未起》，有序曰：

> 余友陶伯瑛孝廉方琯年未三十，攻苦得心疾，犹日课一文，数上公车，或惘惘出门，只身奔走数千里。今病益剧，忽喜吟诗，稿中有是题，同人无不大笑。孙彦清学博闻之醉骂曰，古人命题往往粗率类此，何足怪！设出老杜，诸君赞不绝口矣。余谓题虽俚着笔甚难，效颦一咏，纾情而已，大雅见哂弗顾焉。

方琯即方琦兄，见《复堂文续》亡友传中，其诗惜未得见，想当有佳句，若洗斋仿作则殊无可观，唯有此诗序我们得以知道此轶事并孙君之快语耳。我这样的读诗文集，有人或者要笑为买椟还珠，不免埋没作者的苦心。这大约是的，但是近来许多诗文集的确除此以外没有什么可看，假如于此亦无足取，那简直是废书一册罢了。我也想不如看笔记，然而笔记大半数又是正统的，典章，科甲，诗话，忠孝节烈，神怪报应，讲来讲去只此几种，有时候翻了二十本书结果仍是一无所得。我不知道何以大家多不喜欢记录关于社会生活自然名物的事，总是念念不忘名教，虽短书小册亦复如是，正如种树卖柑之中亦必寄托治道，这岂非古文的流毒直渗进小说杂家里去了么。

【锺校】

①“八”原作“六”。

厂甸之二

新年逛厂甸，在小摊子上买到两三本破书。其一是《诗庐诗文钞》。胡诗庐君是我的同学前辈，辛丑年我进江南水师，管轮堂里有两个名人，即铅山胡朝梁与侯官翁曾固，我从翁君初次看到《新民丛报》，胡君处则看他所做的古诗。民国六年我来北京，胡君正在教育部，做江西派的诗，桐城派的文，对于这些我没有什么兴趣，所以不大相见。十年辛酉胡君去世，十一年壬戌遗稿出版，有陈师曾小序，即是此册，今始得一读，相隔又已十二三年，而陈君的墓木也已过了拱把了罢。诗稿前面有诸名流题字，我觉得最有意思的是严幾道的第二首，因为署名下有一长方印章，朱文两行行三字，曰“天演宗哲学家”，此为不佞从前所未知者也。

旧书之二不知应该叫作什么名字。在书摊上标题曰“名山丛书零种”，但是原书只有卷末明张佳图著

《江阴节义略》一卷书口有“名山丛书”字样，此外《谪星说诗》一卷、《谪星笔谈》三卷、《谪星词》一卷，均题阳湖钱振锽著，不称丛书。我买这本书的理由完全是为木活字所印，也还好玩。拿回来翻阅着，见其中仪字缺笔，《节义略》跋云癸亥九月，知系民国十二年印本，至于全书共有几种，是何书名，却终不明白。读《谪星词》第三首《金缕曲》“忆亡弟杏保”，忽然想起钱鹤岑的《望杏楼志痛编补》也是纪念其子杏保而作的，便拿来一查，果然在《求仙始末》中有云，“丙申冬十二月长男振锽于其友婿卜君寿章处得扶乩术，是月二十有一日因于望杏楼试之”，卷后诗文中亦有振锽诗七首词一首，唯《金缕曲》未收，或系后作也。去年春节在厂甸得《志痛编补》，得到不少资料写成《鬼的生长》一文，今年又得此册，偶然会合，亦大可喜，是则于木活字之外又觉得别有意思者也。

《谪星说诗》虽只六十馀则，却颇有新意，不大人云亦云的说，大抵敢于说话，不过有时也有欠圆处，如云：

> 沧浪谓东野诗读之使人不欢，余谓不欢何病，沧浪不云读《离骚》须涕洟满襟乎？曷为于骚则尊之，于孟则抑之也。东坡称东野为寒，亦

不足为诗病。坡夜读孟郊诗直是草草，如云细字如牛毛，只是憎其字细，何与其诗？

×

王李多以恶语詈谢茂秦，令人发怒。以双目嘲眇人，已不长者，以轩冕仇布衣，亦不似曾饮墨水者也。卢柟被陷，茂秦为之称冤于京师，得白乃已。王李诸人以茂秦小不称意便深仇之，弇州至詈其速死。论其品概，王李与茂秦交，且辱茂秦矣，宜青藤之不入其社也。

此外非难弇州的还有好几则，都说得有理，但如评贾岛一则虽意思甚佳，实际上恐不免有窒碍，文云：

诗当求真。阆仙推敲一事，须问其当时光景，是推便推，是敲便敲，奈何舍其真境而空摹一字，堕入做试帖行径。一句如此，其他诗不真可知，此贾诗所以不入上乘也。退之不能以此理告之，而谓敲字佳，误矣。

我说窒碍，因为诗人有时单凭意境，未必真有这么一回事，所以要讲真假很不容易，我怕贾上人在驴背上的也就是这一种境界罢。

《谪星笔谈》与《说诗》原差不多，不过一个多少与诗有点相关，一个未必相关而已，有许多处都是同样地有意思，最妙的也多是批评人的文章。卷二云：

> 退之与时贵书，求进身，打抽丰，摆身分，卖才学，哄吓撞骗，无所不有，究竟是苏张游说习气变而出此者也。陶渊明穷至乞食，未尝有一句怨愤不平之语，未尝怪人不肯施济而使我至于此也。以其身分较之退之，真有霄壤之别。《释言》一首，患得患失之心活现纸上，谗之宰相便须作文一首，或谗之天子，要上万言书矣。

这一节话我十分同意，真可以说是能言人所难言。我对于韩退之整个的觉得不喜欢，器识文章都无可取，他可以算是古今读书人的模型，而中国的事情有许多却就坏在这班读书人手里。他们只会做文章，谈道统，虚骄顽固，而又鄙陋势利，虽然不能成大奸雄闹大乱子，而营营扰扰最是害事。讲到韩文我压根儿不能懂得他的好处。我其实是很虚心地在读“古文”，我自信如读到好古文，如左国司马以及庄韩非诸家，也能懂得。我又在读所谓唐宋八家和明清八家的古文，想看看这到底怎样，不过我的时间不够，还没有读出结果来。现在只谈韩文。这个我也并未能精读，虽然曾经将《韩昌黎文集》拿出来搁在案头，但是因为一则仍旧缺少时间，二则全读或恐注意反而分散，所以改变方针来从选本下手。我所用的是两个态度很不相同的选本，一是金圣叹的《天下才子必读书》，一是吴闿生的《古文范》。《才子必读书》的第十和十一卷都是选的韩文，共三十篇，《古文范》下编之一中所选韩文有十八篇，二家批选的手眼各不相同，但我读了这三十和十八篇文章都不觉得好，至多是那送董邵南或李愿序还可一读，却总是看旧戏似的印象。不但论品概退之不及陶公，便是文章也何尝有一篇可以与《孟嘉传》相比。朱子说陶渊明诗平淡出于自然，我想其文正亦如此，韩文则归纳赞美者的话也只是吴云伟岸奇纵，金云曲折荡漾，我却但见其装腔作势，搔首弄姿而已，正是策士之文也。近来袁中郎又大为世诟病，有人以为还应读古文。中郎诚未足为文章模范，本来也并没有人提倡要做公安派文，但即使如此也胜于韩文。学袁为闲散的文士，学韩则为纵横的策士，文士不过发挥乱世之音而已，策士则能造成乱世之音者也。

《笔谈》卷三谈到桐城派，对于中兴该派的曾涤生甚致不敬，文云：

> 桐城之名始于方刘，成于姚而张于曾。虽然，曾之为桐城也，不甚许方刘而独以姚为桐城之宗，敬其考而祧其祖先，无理之甚。其于当世人不问其愿否，尽牵之归桐城，吴南屏不服，则

从而讥之。譬之儿童偶得泥傀儡，以为神也，牵其邻里兄弟而拜之，不肯拜则至于相骂，可笑人也。

谢章铤《赌棋山庄笔记》，《课馀偶录》卷二亦有一则，语更透彻，云：

近日言古文推桐城成为派别，若持论稍有出入，便若犯乎大不韪，况敢倡言排之耶？余不能文，偶有所作，见者以为不似桐城，予唯唯不辨。窃谓文之未成体者冗[1]剽芜杂，其气不清，桐城诚为对症之药，然桐城言近而境狭，其美亦殆尽矣，而迤逦陵迟，其势将合于时文。盖桐城派之初祖为归震川，震川则时文之高手也。其始取五子之菁华，运以欧曾之格律，入之于时文，时文岸然高异。及其为古文，仍此一副本领，易其字句音调，又适当王李赝古之时，而其文不争声色，浏然而清，足以移情，遂相推为正宗。非不正宗，然其根柢则在时文也。故自震川以来，若方望溪、刘才甫、姚惜抱、梅伯言，皆工时文，皆有刻本传世，而吴仲伦《初月楼集》末亦附时文两三篇，若谓不能时文便不足为古文嫡冢者。噫，何其蔽也。

谢君为林琴南之师，而其言明达如此，甚可佩服。其实古文与八股之关系不但在桐城派为然，就是唐宋八大家传诵的古文亦无不然。韩退之诸人固然不曾考过八股时文，不过如作文偏重音调气势，则其音乐的趋向必然与八股接近，至少在后世所流传模仿的就是这一类。《谪星说诗》中云：

> 同年王鹿鸣颇娴曲学。偶叩以律，鹿鸣曰，君不作八股乎，亦有律也。

此可知八股通于音乐。《古文范》录韩退之《送董邵南游河北序》，首句曰，“燕赵古称多感慨悲歌之士”，选者注云：

> 故老相传，姚姬传先生每诵此句，必数易其气而始成声，足见古人经营之苦矣。

此可知古文之通于音乐，即后人总以读八股法读之，虽然韩退之是否摇头摆腿而做的尚不可知。总之这用听旧戏法去赏鉴或写作文章的老毛病如不能断根去掉，对于八股宗的古文之迷恋不会改变，就是真正好古文的好处也不会了解的。我们现在作文总是先有什么意思要说，随后去找适当的字句用适当的次序写出来，这个办法似乎很简单，可是却不很容易，在古文中毒者便断乎来不成，此是偶成与赋得之异也。《谪星说诗》中云：

> 凡叙事说理写情状，不过如其事理情状而止，如镜照形，如其形而现，如调乐器，如其声

而发，更不必多添一毫造作，能如是便沛然充满，无所不至。凡天下古今之事理情状，皆吾之文章诗词也，不必求奇巧精工，待其奇巧精工之自来。古唯苏家父子能见到此境，后则陆放翁。文章本天成，妙手偶得之，粹然无瑕疵，岂复须人为。可谓见之真矣。

此虽似老生常谈，但其可取亦正在此，盖常谈亦是人所不易言者也。与上引评贾岛语是同一意思，却圆到得多，推敲问题太具体了，似乎不好那么一句就断定。《笔谈》中有意思的还有几条，抄得太多也不大适宜，所以就此中止了。

（廿四年一月十五日，在北平西北城之苦茶庵）

［附记］今日读唐晏（民国以前名震钧）的《涉江先生文钞》，其《砭韩》一文中有云："此一派也，盛于唐，靡于宋，而流为近代场屋之时文，皆昌黎肇之也。"可与上文所引各语相发明。

（十七日记）

钱君著书后又搜得《名山续集》九卷，《语类》二卷，《名山小言》十卷，《名山丛书》七卷，亦均木活字印，但精语反不多见，不知何也。四月中蚌埠陆君为代请钱君写一扇面见寄，因得见其墨迹，陆君雅意至为可感。

（五月廿四日又记）

【锺校】

①“冗”原作“亢”。

《食味杂咏》注

今年厂甸买不到什么书，要想买一本比较略为好的书总须得往书店去找，而旧书的价近来又愈涨愈贵，一块钱一本的货色就已经不大有了。好在有几家书店有点认识，暂时可以赊欠，且不管三七二十一先拿几本来看罢，有看了中意的便即盖上图章，算是自己的东西了。这里边我所顶喜欢的是一册《食味杂咏》，东墅老人嘉善谢墉撰，有门生阮元序，道光中小门生阮福刊。据石韫玉后序，乾隆辛丑主会试，士之不第者造为蜚语云，谢金圃抽身便讨，吴香亭到口即吞，坐此贬官，但此二语实出《寄园寄所寄》中，两公之姓相合，故毷氉者移易其词以腾口说耳云。东墅老人自序云：

乾隆辛亥夏养疴杜门，因思家乡土物数种不可得，率以成吟，于是连续作诗，积五十八首，而以现在所食皆北产也，复即事得四十三首，共成一百一首，各系数言于题下。盖墉家世习耕读，少时每从老农老圃谈树艺，当名辨物，多以目验得之，又邻江海介五湖，水生陆产咸易致之，考其性味，别其土宜，不为丹铅家剿说所淆。中年以北游之后食味一变，而轺车驿路，爰好谘诹，京城顾役者无问男女皆田家也，圉人御者皆知稼穑，下至老妪亦可询之，以是辨南北之异宜，析山泽之殊质。又少多疾病，时学医聚药，参之经传，证以见闻，或有疑义辄为诠注。陶斯咏斯，绝无关于喜愠，游矣休矣，非假喻于和同。诗成，汇录之，方言里语，敢附博物哉，庶其以击壤之声，入采风之末云尔。

序文末尾写得不漂亮，也是受了传统的影响，但是序里所说的大约都是实情，我所喜欢的部分实在也还是那些题下的附注，本文的诗却在其次。古人云买椟还珠，我恐怕难免此诮，不过这并无妨碍，在我看来的确是这椟要好得多，要比诗更有意思，虽然那些注原是附属于诗的，如要离诗而独立也是不可能。阮云台序中有云："此卷为偶咏食品之诗，通乎雅俗，然考证之多，非贯彻经史苍雅博极群书者不能也。"可谓知言。我同时所得尚有王鸣盛《练川杂咏》，并钱大昕王鸣韶和作共一百八十首，朱彝尊《鸳鸯[1]湖棹歌》百首，谭[2]吉璁和作百十八首，杨抡《芙蓉湖棹歌》百首，并刘继增《惠山竹枝词》三十首为一卷。这些诗里也大都讲到风物，只是缺少注解，有注也略而不详，更不必说能在丹铅家剿说之外自陈意见的了。以诗论，在我外行看去，似朱竹坨最佳，虽然王西庄钱竹汀的有几句我也喜欢。如朱诗云：

姑恶飞鸣触晓烟，红蚕四月已三眠，
白花满把蒸成露，紫葚盈筐不取钱。

注云：“姑恶鸟名，蚕月最多。野蔷薇开白花，田家篱落间处处有之，蒸成香露，可以泽发。”又云：

鸭馄饨小漉微盐，雪后垆头酒价廉，
听说河豚新入市，蒌蒿荻笋急须拈。

注云：“方回题竹杖诗，跳上岸头须记取，秀州门外鸭馄[3]饨。”王诗云：

西风策策碧波明，菰雨芦烟两岸平，
暮汐过时渔火暗，沙边觅得小娘蛏。

注引宋吴惟信元王逢简句外，只云“俗呼蛏为小娘蛏”。以上注法或是诗注正宗亦未可知，不过我总嫌其太简略，与《食味杂咏》相比更是显然。“南味五十八首”之十六曰《喜蛋》，题注甚长，今具录于下：

古无蛋字，亦无此名，经传皆作卵，音力管反。《说文》，蜑，释云，南方夷也，从虫，延声，徒旱切，在新附文之首，是汉时本无此字，故叔重不载而徐氏增之。《玉篇》仍《说文》不收，《广韵》则亦注为南方夷，至《唐书》柳文皆以为蛮俗之称，《集韵》并载蜑蜒，要皆不关禽鸟之卵。今自京师及各省凡鸟卵皆呼为蛋，无称为卵者，字从虫从延，本以延衍卵育取义，蛋则蜑[4]省也。考《说文》卵字部内有毈字，卵不孚也，徒玩切，与蛋为音之转，盖古人呼不以之孚鸡鸭之卵而徒供食者即以孚之不成之卵名之，因而俗以蛋抵毈也。隋唐前无蜑字，亦无此名。元方回诗曰，秀州城外鸭馄饨[5]，即今嘉兴人所名之喜蛋，乃鸭卵未孚而殒，已有雏鸭在中，俗名哺退蛋者也。市人镊去细毛，洗净烹煮，乃更香美，以哺退名不利，反而名之曰喜蛋，若鸭馄饨者则又以喜蛋名不雅而文其名。其实秀州之鸭馄饨乃《说文》毈字之铁注脚也。

诗中又有注云：

喜蛋中有已成小雏者味更美。近雏而在内者俗名石榴子，极嫩，即蛋黄也。在外者曰砂盆底，较实，即蛋白也，味皆绝胜。

第二十九首为《鲜蛏》，注云：

蛏字《说文》《玉篇》俱无，亦不见他书，

《广韵》始收，注云蚌属，盖即《周官》狸物蠃䗪之类，味胜蚬蛤，若以较西施舌则远不逮矣。

诗中注云：

蛏本江海所产，而西湖酒肆者乃即买之湖上渔船，乘鲜烹食极美。同年王谷原与麹生交莫逆，每寓杭乡试时邀同游西湖，取醉酒家，有五柳居酒肆在湖上，烹饪较精，谷原嗜食蛏，谓[⑥]此乃案酒上品，即醉蛏亦绝佳，因令与煮熟者并供之。此景惘然。

第三十首为《活虾》，诗中有注两则，均琐屑有致，为笔记中之佳品：

家乡名渔家之船曰网船，渔妇曰网船婆。夏秋鱼虾盛时，网船婆蓑笠赤脚，与渔人分道卖鱼虾，自率儿女携虾桶登岸，至所识大户厨下卖虾，易钱回船，不避大风雨。

南中活虾三十年前每斤不过十馀文，时初至京，京中已四五倍之。近日京城活者须大钱三四百文，其不活而犹鲜者，以用者多，亦须二百左右，然大率捞之浊水中，其生于清水者更不易得。

适值那时所得的几部诗词里也还有类似的题咏，可谓偶然。其一是全祖望的《句馀土音》，系陈铭海补注本，其第五卷全是咏本地物产，共有六十九首，只可惜原注补注都不大精详。四赋四明土物九首之一为《荔枝蛏》，诗下原注云：

浙东之蛏皆女儿蛏也，而荔枝则女儿之佳者。

上文所云小娘蛏盖即一物，吾乡土俗蛏不尚大者，但不记得有什么别名，只通称蛏子耳。冯云鹏著《红雪词》甲乙集各二卷，乙之一中有禽言二十二章，禽言词未曾见也，又有咏海错者二十五章，其十四至十六皆是蛏，曰竹蛏，曰女儿蛏，曰笔管蛏，却无注。其第二咏白小，有注云：

即银鱼，杜诗，白小群分命，天然二寸鱼，《记事珠》以为面条，非也，吾通产塔影河者佳，不亚于莺脰湖。

《食味杂咏》南味之五云《银鱼》，注云：

色白如银，长寸许，大者不过二寸，乡音亦呼儿鱼，音同泥，银言白，儿言小也。此鱼古书不载，罗愿《翼雅》[7]于王馀脍残云又名银鱼。脍残虽相类，然大数倍，不可混也。

诗中注云：

银鱼出水即不活，渔家急暴干市之。有甫出水生者以作羹极鲜美，乡俗名之曰水银鱼，以别于干者。

东墅老人对于土物之知识丰富实在可佩服，可惜以诗为主，因诗写注，终有所限制，假如专作笔记，像郝兰皋的《记海错》那样，一定是很有可观的。至于以诗论，则谢金圃的银鱼诗与冯晏海的白小词均不能佳，因系用典制题做法，咏物诗少佳作，不关二公事也。倒还是普通一点的风物诗可以写得好，如前所举棹歌即是，关于白小可举出吾乡孙子九一绝句来：

南湖白小论斗量，北湖鲫鱼尺半长，
鱼船进港麹船出，水气着衣闻酒香。

孙子九名垓，有《退宜堂诗集》四卷，此诗为《过东浦口占》之第二首，在诗集卷一中。

（廿四年三月十三日，北平）

【锺校】

①“鸯”原作“央”。

②“谭”原作“潭”。

③“馄”原作“饨”。

④“蜑”原作“延”。

⑥此处原衍“为”字，已删。

⑦“罗愿《翼雅》”原作“罗愿《雅》”。案罗愿有《尔雅翼》，《记海错》引郝懿行与孙渊如观察书有云：“陆农师之《埤雅》，罗端良之《翼雅》，盖不足言。”

【鄢校】

⑤方回此诗末二句一作“争似梢公留口吃，秀州城外鸭馄饨”，与朱诗注引异。

《东京散策记》

前几天从东京旧书店买到一本书，觉得非常喜欢，虽然原来只是很普通的一卷随笔。这是永井荷风所著的《日和下驮》，一名《东京散策记》，内共十一篇，从大正三年夏起陆续在《三田文学》月刊上发表，次年冬印成单行本，以后收入“明治大正文学全集”及“春阳堂文库”中，现在极容易买到的。但是我所得的乃是初版原本，虽然那两种翻印本我也都有，文章也已读过，不知怎的却总觉得原本可喜。铅印洋纸的旧书本来难得有什么可爱处，有十七幅胶版的插画也不见得可作为理由，勉强说来只是书品好罢。此外或者还有一点感情的关系，这比别的理由都重要，便是一点儿故旧之谊，改订缩印的书虽然看了便利，却缺少一种亲密的感觉。说读书要讲究这些未免是奢侈，那也可以说，不过这又与玩古董的买[①]旧书不同，因为我们既不要宋本或季沧苇的印，也不能出大价钱也。《日和下驮》出版于大正四年（一九一五），正是二十年前，绝版已久，所以成了珍本，定价金一圆，现在却加了一倍，幸而近来汇兑颇低，只要银一元半就成了。

永井荷风最初以小说得名，但小说我是不大喜欢的，我读荷风的作品大抵都是散文笔记，如《荷风杂稿》《荷风随笔》《下谷丛话》《日和下驮》与《江户艺术论》等。《下谷丛话》是森鸥外的《伊泽兰轩传》一派的传记文学，讲他的外祖父鹫津毅堂的一生以及他同时的师友，我读了很感兴趣，其第十九章中引有大沼枕山的绝句，我还因此去搜求了《枕山诗钞》来读。随笔各篇都有很好的文章，我所最喜欢的却是《日和下驮》。《日和下驮》这部书如副题所示是东京市中散步的记事，内分日和下驮，淫祠，树，地图，寺，水附渡船，露地，闲地，崖，坂，夕阳附富士眺望等十一篇。“日和下驮”（Hiyori-geta）本是木屐之一种，意云晴天屐，普通的木屐两齿幅宽，全屐用一木雕成，日和下驮的齿是用竹片另外嵌上去的，趾前有覆，便于践泥水，所以虽称曰晴天屐而实乃晴雨双用屐也。为什么用作书名，第一篇的发端说的很明白：

长的个儿本来比平常人高，我又老是穿着日

和下驮拿着蝙蝠伞走路。无论是怎么好晴天，没有日和下驮与蝙蝠伞总不放心，这是因为对于通年多湿的东京天气全然没有信用的缘故。容易变的是男子的心与秋天的天气，此外还有上头的政事，这也未必一定就只如此。春天看花时节，午前的晴天到了午后二三时必定刮[②]起风来，否则从傍晚就得下雨。梅雨期间可以不必说了，入伏以后更不能预料什么时候有没有骤雨会沛然下来。

因为穿了日和下驮去凭吊东京的名胜，故即以名篇，也即以为全书的名称。荷风住纽约巴黎甚久，深通法兰西文学，写此文时又才三十六岁，可是对于本国的政治与文化其态度非常消极，几乎表示极端的憎恶。在前一年所写的《江户艺术论》中说的很明白，如《浮世绘的鉴赏》第三节云：

在油画的色里有着强的意味，有着主张，能表示出制作者的精神。与这正相反，假如在木板画的瞌睡似的色彩里也有制作者的精神，那么这只是专制时代萎靡的人心之反映而已。这暗示出那样暗黑时代的恐怖与悲哀与疲劳，在这一点上我觉得正如闻娼妇啜泣的微声，深不能忘记那悲苦无告的色调。我与现社会相接触，常见强者之极其横暴而感到义愤的时候，想起这无告的色彩之美，因了潜存的哀诉的旋律而将暗黑的过去再现出来，我忽然了解东洋固有的专制的精神之为何，深悟空言正义之不免为愚了。希腊美术发生于以亚坡隆为神的国土，浮世绘则由与虫豸同样的平民之手制作于日光晒不到的小胡同的杂院里。现在虽云时代全已变革，要之只是外观罢了。若以合理的眼光一看破其外皮，则武断政治的精神与百年以前毫无所异。江户木板画之悲哀的色彩至今全无时间的间隔，深深沁入我们的胸底，常传亲密的私语者，盖非偶然也。

在《日和下驮》第一篇中有同样的意思，不过说得稍为和婉：

但是我所喜欢曳屐走到的东京市中的废址，大抵单是平凡的景色，只令我个人感到兴趣，却不容易说明其特征的。例如一边为炮兵工厂的砖墙所限的小石川的富坂刚要走完的地方，在左侧有一条沟渠。沿着这水流，向着蒟蒻阎魔去的一个小胡同，即是一例。两傍的房屋都很低，路也随便弯来弯去，洋油漆的招牌以及仿洋式的玻璃门等一家都没有，除却有时飘着冰店的旗子以外，小胡同的眺望没有一点什么色彩，住家就只是那些裁缝店烤白薯店粗点心店灯笼店等，营着从前的职业勉强度日的人家。我在新开路的住家门口常看见堂皇地挂着些什么商会什么事务所的木牌，莫名其妙地总对于新时代的这种企业引起不安之念，又对于那些主谋者的人物很感到危险。倒是在这样贫穷的小胡同里营着从前的职业穷苦度日的老人们，我见了在同情与悲哀之上还不禁起尊敬之念。同时又想到这样人家的独养女儿或者会成了介绍所的饵食，现今在什么地方当艺妓也说不定，于是照例想起日本固有的忠孝思想与人身卖买的习惯之关系，再下去是这结果所及于现代社会之影响等，想进种种复杂的事情里边去了。

本文十篇都可读，但篇幅太长，其《淫祠》一篇最短，与民俗相关亦很有趣，今录于后。

往小胡同去罢，走横街去罢。这样我喜欢走的，格拉格拉地拖着晴天屐走去的里街，那里一定会有淫祠。淫祠从古至今一直没有受过政府的庇护。宽大地看过去，让它在那里，这已经很好了，弄得不好就要被拆掉。可是虽然如此现今东京市中淫祠还是数不清地那么多。我喜欢淫祠。给小胡同的风景添点情趣，淫祠要远在铜像之上有审美的价值。本所深川一带河流的桥畔，麻布芝区的极陡的坡下，或是繁华的街的库房之间，多寺院的后街的拐角，立着小小的祠以及不蔽风雨的石地藏，至今也还必定有人来挂上还愿的匾额和奉献的手巾，有时又有人来上香的。现代教育无论怎样努力想把日本人弄得更新更狡猾，可是至今一部分的愚昧的民心也终于没有能够夺去。在路傍的淫祠许愿祈祷，在破损的地藏尊的脖上来挂围巾的人们，或者卖女儿去当艺妓也未可知，自己去做侠盗也未可知，专梦想着银会和彩票的侥幸也未可知。不过他们不会把别人的私行投到报纸上去揭发以图报复，或借了正义人道的名来敲竹杠迫害人，这些文明的武器的使用法他们总是不知道的。

淫祠在其缘起及灵验上大抵总有荒唐无稽的事，这也使它带有一种滑稽之趣。

对那欢喜天要供油炸的馒头，对大黑天用双叉的萝卜，对稻荷神献奉油豆腐，这是谁都知道的事。芝区日荫町有供鲭鱼的稻荷神，在驹入地方又有献上沙锅的沙锅地藏，祈祷医治头痛，病好了去还愿，便把一个沙锅放在地藏菩萨的头上。御厩河岸的榧寺里有医好牙痛的吃糖地藏，金龙山的庙内则有③供盐的盐地藏。在小石川富坂的源觉寺的阎魔王是供蒟蒻的，对于大久保百人町的鬼王则供豆腐，以为治好疥疮的谢礼。向岛弘福寺里的有所谓石头的老婆婆，人家供炒蚕豆，求她医治小孩的百日咳。

天真烂漫的而又那么鄙陋的此等愚民的习惯，正如看那社庙滑稽戏和丑男子舞，以及猜谜似的那还愿的匾额上的拙稚的绘画，常常无限地使我的心感到慰安。这并不单是说好玩。在那道理上议论上都无可说的荒唐可笑的地方，细细地想时却正感着一种悲哀似的莫名其妙的心情也。

关于民俗说来太繁且不作注，单就蒟蒻阎魔所爱吃的东西说明一点罢。蒟蒻是一种天南星科的植物，其根可食，五代时源顺撰《和名类聚抄》卷九引《文选·蜀都赋注》云：蒟蒻，其根肥白，以灰汁煮则凝成，以苦酒淹食之，蜀人珍焉。《本草纲目》卷十六叙其制法甚详云：

经二年者根大如碗及芋魁，其外理白，味亦麻人，秋后采根，须净擦或捣或片段，以酽灰汁煮十馀沸，以水淘洗，换水更煮五六遍，即成冻子，切片，以苦酒五味淹食，不以灰汁则不成也。切作细丝，沸汤瀹过，五味调食，状如水母丝。

黄本骥编《湖南方物志》卷三引《潇湘听雨录》云：

《益部方物略》，海芋高不过四五尺，叶似芋而有干。向见岣嵝峰寺僧所种，询之名磨芋，干赤，叶大如茄，柯高二三尺，至秋根下实如芋魁，磨之漉粉成膏，微作膻辛，蔬品中味犹乳酪，似是《方物略》所指，宋祁赞曰木干芋叶是也。

金武祥著《粟香四笔》卷四有一则云：

济南王培荀雪峤《听雨楼随笔》云，蒟酱张骞至西南夷食之而美，擅名蜀中久矣。来川物色不得，问土人无知者。家人买黑豆腐，盖村间所种，俗名茉芋，实蒟蒻也，形如芋而大，可作腐，色黑有别味，未及豆腐之滑腻。蒟蒻一名鬼头，作腐时人多语则味[④]涩，或云多语则作之不成。乃知蒟酱即此，俗间日用而不知，可笑也。遥携馋口入西川，蒟酱曾闻自汉年，腐已难堪兼色黑，虚名应共笑张骞。茉芋亦名黑芋，生食之口麻。

蒟蒻俗名黑豆腐，很得要领，这是民间或小儿命名的长处。在中国似乎不大有人吃，要费大家的力气来考证，在日本乃是日常副食物，真是妇孺皆知，在俗谚中也常出现，此正是日本文学风物志中一好项目。在北平有些市场里现已可买到，其制法与名称盖从日本输入，大抵称为蒟蒻而不叫作黑豆腐也。

（廿四年四月）

【锺校】

①“买”原作“卖”。

②“刮”原作“括”。

③“有”原作“在”。

④“味”原作“语”。

科学小品

二月底的某日，我刚寄出明信片给书店，要英国大威尔士编著的《生命之科学》，去年改订为分册的丛书，已出三册，这天就收到上海商务印书馆代郭君寄赠的一册大书，打开看时原来即是《生命之科学》汉译本，此为第一册，即包含前三分册[①]也。这是一件偶然凑巧的事，却觉得很有意思。译者弁言之二有云：

> 译者对于作者之原旨，科学之综合化大众化与文艺化，是想十分忠实地体贴着的，特别是在第三化。原著实可以称为科学的文艺作品。译者对于原作者在文学修辞上的苦心是尽力保存着的，译文自始至终都是逐字移译，尽力在保存原文之风貌。但译者也没有忘记，他是在用中国文译书，所以他的译文同时是照顾着要在中国文字上带有文艺的性格。

这里所说关于原书的文艺价值与译文的忠实态度都很明了，我们可以不必多赘。我看原书第二分册第四章七节有讲轮虫的一段文章很有趣味，今借用郭君的译文于下：

> 轮虫类又是一门，是微小而结构高级的动物，大抵居于池沼，沟渠，湿地等处，对于有显微镜的人是一项快乐之源泉。
>
> 假如我们能够保留着感觉和视觉，缩小成一个活的原子而潜下水去，我们会参加进一个怎样惊异的世界哟！我们会发现这座仙国有最奇异的一些生物栖息着，那些生物有毛以备浮泳，有璐玭色的眼睛在头[2]上灼灼，有望远镜式的脚可以纳入体中，可以伸出去比身体长过数倍。这儿有些是系着锚的，系在脚趾所纺出的细丝上，又有些穿着玻璃的铠甲，猬集着犀利的针刺或装饰着龟甲形和波形的浮雕，迅速地浮过，更有固着在绿色的梗上就像一朵牵牛花，由眼不能见的力量把一道不间断的牺牲之流吸引进张开着的杯里，用深藏在体中的钩颚把它们咬碎致死。（赫贞与戈斯二氏在有趣的图谱《轮虫类》*The Rotifera* 1886 中如是说。）

轮虫类对于人没有益处，也没有害处，它们

的好处几乎全在这显微镜下的美观上。

这可以够得上称为科学小品了罢。所谓科学小品不知到底是什么东西，据我想这总该是内容说科学而有文章之美者，若本是写文章而用了自然史的题材或以科学的人生观写文章，那似乎还只是文章罢了，别的头衔可以不必加上也。《生命之科学》的原作者是大小威尔士与小赫胥黎，其科学文学两方面的优长既是无可疑的了，译者又是专门研究近代医学的人，对于文艺亦有很大的成就，所以这书的译出殆可以说是鬼拿铁棒了。但是可惜排印有误，还有一件便是本子大，定价高，假如能分作三册，每册卖一元之谱，不但便于翻阅，就是为读者购买力计也有方便处，像现在这样即不佞如不蒙寄赠亦大抵未必能够见到也。

我不是弄科学的，但当作文章看过的书里有些却也是很好的科学小品，略早的有英国怀德的《色耳彭自然史》，其次是法国法布耳的《昆虫记》。这两部书在现今都已成为古典了，在中国知道的人也已很多，虽然还不见有可靠的译本，大约这事真太不容易，《自然史》在日本也终于未曾译出，《昆虫记》则译本已有三种了。此外我个人觉得喜欢的还有英国新近去世的汤木生（J. A. Thomson）教授，他是动物学专门的，著作很多，我只有他最普通的五六种，其中两种最有意思，即《动物生活的秘密》与《自然史研究》。这还是一九一九至二一年刊行，又都是美国版，价钱很贵，装订也不好，现在背上金字都变黑了，黑得很难看，可是我仍旧看重他，有时拿出来翻翻，有时还想怎样翻译一点出来也好，看着那暗黑难看的金字真悔不早点译出几篇来。可是这是徒然。我在这里并不谦虚地说因为关于自然史的知识不够，实在乃是由于文章写不好，往往翻看一阵只得望洋兴叹地放下了。《动物生活的秘密》中共有短文四十篇，自动物生态以至进化遗传诸问题都有讲到，每篇才七八页，而谈得很简要精美，卷中如《贝壳崇拜》《乳香与没药》《乡间的声响》等文，至今想起还觉得可爱。《自然史研究》亦四十篇而篇幅更短，副题曰"从著者作品中辑集的文选"，大约是特别给青年们读的吧，《动物生活的秘密》中也有八九篇收入，却是文句都改得更为简短了。话虽如此，要想译这节本亦仍不可能，只好终于割爱了去找别的，第二十一篇即第三分的第一篇题曰《秋天》，内分六节，今抄取其关于落叶的一节于下：

最足以代表秋天的无过于落叶的悉索声了。它们生时是慈祥的，因为植物所有的财产都是它们之赐，在死时它们亦是美丽的。在死之前，它们把一切还给植物，一切它们所仅存的而亦值得存的东西。它们正如空屋，住人已经跑走了，临走时把好些家具毁了烧了，几乎没有留下什么东西，除了那灶里的灰。但是自然总是那么豪爽的肯用美的，垂死的叶故有那样一个如字的所谓死灰之美。

第二十五篇是专谈落叶的，觉得有可以互相说明的地方，再抄几节也好：

但在将死之先，叶子把一切值得存留的它们工作的残馀都还给那长着它们的树身。有糖分和其他贵重物质从垂死的叶慢慢地流到树干去，在冬天的气息吹来以前。

那树叶子在将死时也与活着时同样地有用，渐渐变成空虚，只馀剩废物了，在那贵重物质都退回防冬的库房的时候，便要真预备落下了。在叶柄的底下，平常是很韧很结实的，现在从里边长出一层柔软多汁的细胞来，积极地增加扩大成为一个弹簧椅垫，这就把叶子挤掉，或是使叶与枝的附着很是微少，一阵风来便很容易把那系联生死的桥折断了。这是一种很精良的外科，在手术未行之先已把创痕治好了的。

的确到现在那叶子是死了，只是空屋，一切

器用门窗都拆卸了，差不多剩下的只有灶里的灰了。但是那些灰——多么华丽呀！黄的和橙色的，红的和紫的，绯的和赤的，那些枯叶发出种种色彩。它们变形了，在这死的一刹那，在秋阳的微光里。黄色大抵由于所谓叶绿这色素的分解，更深的颜色则由于特种色素的存在，这都是叶子的紧张的生活里的副产物或废物。

末了，叶子轻轻地从树上落下了，或是在风中宛转挣扎悉索作声，好像是不愿意离开似的，终于被强暴地拉下来滚在地上了。但是那树虽然年年失掉叶子，却并不因此而受什么损失，因为叶子褪色了，枯了落了，被菌类所霉化了，于是被蚯蚓埋到地下去，又靠了微生物的帮助，使它变成植物性的壤土，这里边便保育着来年的种子。

文章实在译不好，可是没有法子。假如我有自然史的广博的知识，觉得还不若自己来写可以更自在一点，不过写的自在是一问题，而能否这样的写得好又是另一问题。像《秋天》里的那一节，寥寥五句，能够将科学与诗调和地写出，可以说是一篇《落叶赞》，却又不是四库的哪一部文选所能找得出的，真是难能希有也。我们摇笔想写出此种文章来，正如画过几笔墨梅的文士要去临摹文艺复兴的名画，还该免动尊手。莫怪灭自己的威风，我们如想有点科学小品看看，还得暂时往外国去借。说也奇怪，中国文人大都是信仰“文艺政策”的，最不高兴人家谈到苍蝇，以为无益于人心世道也，准此则落叶与蚯蚓与轮虫纵说得怎么好亦复何用，岂有人肯写或准写乎。中国在现今虽嚷嚷科学小品，其实终于只一名词，或一新招牌如所谓卫生臭豆腐而已。

（二十四年四月）

【锺校】

①“分册”原作“册分”。

②“头”原作“颈”。

猫头鹰

陆玑《毛诗草木鸟兽虫鱼疏》卷下，流离之子条下云："流离，枭也，自关而西谓枭为流离。适长大还食其母，故张奂云，鹠鷅食母，许慎云，枭不孝鸟，是也。"赵佑《校正》案语云：

> 窃以鸮枭自是一物，今俗所谓猫头鹰，谓即古之鸮鸟，一名休鹠者，人常捕之。头似猫而翼尾似鹰，目昼昏夜明，故捕之常以昼。其鸣常以夜，如号泣。哺其子既长，母老不能取食以应子求，则挂身树上，子争啖之飞去。其头悬着枝，故字从木上鸟，而枭首之象取之。以其性贪善饿，又声似号，故又从号，而枵腹之义取之。

枭鸱害母这句话，在中国大约是古已有之。其实猫头鹰只是容貌长得古怪，声音有点特别罢了。除了依照肉食鸟的规矩而行动之外，并没有什么恶行，世人却很不理解他，不但十分嫌恶，还要加以意外的毁谤。中国文人不知从哪里想出来的[1]说他啄母食母，赵鹿泉又从而说明之，好像是实验过的样子，可是那头挂得有点蹊跷，除非是像胡蜂似的咬住了树枝睡午觉。姚元之《竹叶亭杂记》卷六有一则云：

乙卯二月余在籍，一日喧传涤岑有大树自鸣，闻者甚众，至晚观者亦众。以爆驱之，声少歇；少顷复鸣，如此数夜。其声若人长吟，乍高乍低，不知何怪，言者俱以为不祥，后亦无他异。有老人云，鸮鸟生子后即不飞，俟其子啄其肉以自哺。啄时即哀鸣，数日食尽则止。有人搜树视之，果然。可知少见多怪，天下事往往如是也。

还有一本什么人的笔记，我可惜忘记了，里边也谈到这个问题，说枭鸟不一定食母，只是老了大抵被食，窠内有毛骨可以为证。这是说他未必不孝，不过要吃同类，却也同样地不公平，而且还引毛骨证明其事，尤其是莫须有的冤狱了。英国怀德在《色耳邦自然史》中所说却很不同，这在一七七三年七月八日致巴林顿氏第十五信中：

讲到猫头鹰，我有从威耳兹州的绅士听来的一件事可以告诉你。他们正在挖掘一棵空心的大

> 秦皮树，这里边做了猫头鹰的馆舍已有百十来年了，那时他在树底发见一堆东西，当初简直不知道是什么。略经检查之后，他看出乃是一大团的鼷鼠的骨头（或者还有小鸟和蝙蝠的），这都从多少代的住客的嗉囊中吐出，原是小团球，经过岁月便积成大堆了。盖猫头鹰将所吞吃的东西的骨头毛羽都吐出来，同那鹰一样。他说，树底下这种物质一共总有好几斗之多。

姚元之所记事为乾隆六十年，即西历一七九五，为怀德死后二年，而差异如此，亦大奇也。据怀德说，猫头鹰吞物而吐出其毛骨，可知啄母云云盖不可能。斯密士（R. B. Smith）著《鸟生活与鸟志》，凡文十章皆可读，第一章谈猫头鹰，叙其食鼠法甚妙：

> 驯养的白猫头鹰——驯者如此，所以野生者亦或如此——处分所捉到的一个鼷鼠的方法甚是奇妙。他衔住老鼠的腰约有一两分钟，随后忽然把头一摆，将老鼠抛到空中，再接住了，头在嘴里。头再摆，老鼠头向前吞到喉里去了，只剩尾巴拖在外边，经过一两分钟沉思之后，头三摆，尾巴就不见了。

上边又有一节讲他吐出毛骨的事，不辞烦聒，抄录在这里，因为文章也写得清疏，不但可为猫头鹰作辩护也。

他的家如在有大窟洞的树里的时候，你将时常发见在洞底里有一种软块，大约有一斗左右的分量，这当初是一个个的长圆的球，里边全是食物之不消化部分，即他所吞食的动物的毛羽骨头。这是自然的一种巧妙安排，使得猫头鹰还有少数几种鸟如马粪鹰及鱼狗凡是囫囵吞食物的，都能因了猛烈的接连的用力把那些东西从嘴里吐出来。在检查之后，这可以确实地证明，就是猎场监督或看守人也都会明白，他不但很有益于人类，而且向来人家说他所犯的罪如杀害小竹鸡小雉鸡等事他也完全没有。在母鸟正在孵蛋的树枝间或地上，又在她的忠实的配偶坐着看护着的邻近的树枝间，都可以见到这些毛团保存着完整的椭圆形。这软而湿的毛骨小块里边，我尝找出有些甲虫或蜣螂的硬甲，这类食物从前不曾有人会猜想到是白猫头鹰所很爱吃的。德国人是大统计学家，德国博物学者亚耳通博士曾仔细地分析过许多猫头鹰所吐的毛团。他在住仓猫头鹰的七百另六个毛团里查出二千五百二十五个大鼠，鼷鼠，田鼠，臭老鼠，蝙蝠的残骨，此外只有二十二个小鸟的屑片，大抵还是麻雀。检查别种的猫头鹰，其结果也相仿佛。据说狗如没有骨头吃便要生病，故鼠类的毛骨虽然是不消化的东西，似乎在猫头鹰的消化作用上却是一种必要的帮助。假如专用去了毛骨的肉类饲养猫头鹰，他就将憔悴而死。

这末了的一句话是确实的，我在民国初年养过一只小猫头鹰，不过半年就死了，因为专给他好肉吃，实在也无从去捉老鼠来饲他。《一切经音义》七引舍人曰，狂一名茅鸱，喜食鼠，大目也。中国古人说枭鸱说得顶好的恐怕要算这一节了吧。

中国关于动物的谣言向来很多，一直到现在没有能弄清楚。螟蛉有子的一件，梁朝陶弘景已不相信，又有后代好些学者附议，可是至今还有好古的人坚持着化生之说的。事实胜于雄辩，然而观察不清则实验也等于幻想。《酉阳杂俎》十六广动植中云：

蝉未脱时名复育，相传言蛣蜣所化。秀才韦翾庄在杜[2]曲，尝冬中掘树根，见复育附于朽处，怪之，村人言蝉固朽木所化也。翾因剖一视之，腹中犹实烂木。

即其一例。姚元之以树中鸣声为老鸮被食，又有人以所吐毛骨为证，是同一覆辙，但在英国的乡下绅士见之便不然了，他知道猫头鹰是吞食而又吐出毛骨的，这些又都是什么小动物的毛骨。中国学者如此格物，何能致知，科学在中国之不发达盖自有其所以然也。

（二十四年五月）

【锺校】

①“的”原作“地”。

②“杜”原作“社”。

《古槐梦遇》序

平伯说，在他书房前有一棵大槐树，故称为古槐书屋。有一天，我走去看他，坐南窗下而甚阴凉，窗外有一棵大树，其大几可蔽牛，其古准此，及我走出院子里一看，则似是大榆树也。

平伯在郊外寓居清华园，有一间秋荔亭，在此刻去看看必甚佳也，详见其所撰记中。前日见平伯则云将移居，只在此园中而房屋则当换一所也。我时坐车上，回头问平伯曰，有亭乎？答曰，不。曰，荔如何？曰，将来可以有。

昔者玄同请太炎先生书“急就庼”额，太炎先生跋语有云，至其庼则尚未有也。大抵亭轩斋庵之名皆一意境也，有急就而无庼可也，有秋荔有亭而今无亭亦可也。若书屋则宛在，大树密阴，此境地确实可享受也，尚何求哉，而我于此欲强分别槐柳，其不免为痴人乎。

平伯在此境地中写其《梦遇》，倏忽得百则，——未必不在城外写，唯悬想秋荔亭太清朗，宜于拍曲，或非写此等文章之地耳。平伯写此文本来与我无干，写了数则后即已有废名为作题记，我因当时平伯正写《连珠》，遂与约写到百章当为作小序，其后《连珠》的生长虽然不急速，序文我却越想越难，便改变方针，答应平伯写《梦遇》的序，于是对于它的进行开始注意，乃有倏忽之感焉。昨天听平伯说百则尚馀其三，所以我现在不暇再去诠索《梦遇》百篇的意义，却是计划写序文要紧了。

讲到梦，我是最怕梦。古有梦书，梦有征验，我倒还不怕，自从心理分析家对于梦有所解释，而梦大难做矣。徐文长集卷二有四言诗题云："予尝梦昼所决不为事，心恶之，后读唐书李坚贞传，稍解焉。"不过文长知恶梦而尚多写诗文，则还是未知二五之得一十也。彼心理分析家不常以诗文与梦同样的做材料而料理之耶？

梦而写以文章，文章而或遇之于梦，无论如何，平伯此卷想更加是危乎殆哉了。我做梦差幸醒了即忘，做的文章与说的话一样里边却有梦在，差幸都被放免。只有弄莫尔干的，没有弄弗洛伊特的文艺批评家，真真大幸，此则不特我与平伯可以安心，即徐文长亦大可不必再多心者也。

古人所写关于梦的文章我只见到一种，即黄周星的《岂想庵选梦略刻》。书凡一卷，在康熙刻本《九烟先生别集》中，共四十八则，七分之六是记诗句，只有一分记些情景却颇奇妙。情景之外有什么思想呢？那我觉得有点难说，并不是对于九烟先生不大尊重，我只想他有些断句很佳，如二十七则云：

天下但知吾辈好，一柈杏酪在江南①。

《选梦略刻》上有云间朱曰荃序，殊不得要领，我读了怃然，为的是想到此序之不易写也。因此我只能这样的乱写一起罢了，有了三四十行文字便好。

但是，我要对读者声明一声，列位不要因为这序文空虚诙诡的缘故对于本文不去精细的读，不能领取文章与思想的美，如此便是自己损失，如入宝山空手回，莫怪上了别人的当也。

中华民国念三年十月念一日，于北平苦茶庵。

【锺校】

①“柈”原作“拌”。

重刊《袁中郎集》序

林语堂先生创议重刊《袁中郎全集》，刘大杰先生担任编订，我觉得这是很有意义的事。公安派在明季是一种新文学运动，反抗当时复古赝古的文学潮流，这是确实无疑的事实，我们只须看后来古文家对于这派如何的深恶痛绝，历明清两朝至于民国现在还是咒骂不止，可以知道他们加于正统派文学的打击是如何的深而且大了。但是他们的文字不但触怒了文人，而且还得罪了皇帝，三袁文集于是都被列入禁书，一概没收销毁了事，结果是想看的固然没得看，就是咒骂的人也无从得见，只好闭了眼睛学嘴学舌的胡乱说一番而已。我们举一个例，《直介堂丛刻》中有《苌楚斋随笔》，正续各十卷，庐江刘声木十枝撰，有己巳五月序，即民国十八年也，《随笔》卷三第十六则云：

明末诗文派别至公安竟陵可谓妖妄变幻极

矣，亡国之音固宜如此，时当末造，非人力所能挽回，世多不知其名氏撰述，爰记之于下，以昭后世之炯戒。公安三袁，一庶子宗道，即士瑜，撰《海蠡编》二卷。一吏部郎中中道，撰述无传。一吏部郎中宏道，独宏道撰述甚富，撰有《觞政》一卷，《瓶花斋杂录》一卷，《袁中郎集》四十卷，《明文隽》八卷。竟陵为钟惺谭友夏，俱天门人。

又《续笔》卷四第十一则云：

瑞安陈怀孟冲父（案此处原文如是）撰有《独见晓斋丛书》，其第一种为《辛白论文》一卷，共九篇，其篇目有云文性文情文才文学文识文德文时等目，只须见其目即知其深中明季山人之习，坠入竟陵公安一派，实为亡国之音。

此书作者是桐城派，其反对公安本不足异，唯高谈阔论而伯修之《白苏斋类集》与小修之《珂雪斋集选》似均未见，又于中郎集外别列《觞政》，可知其亦未曾见过此集也。其实珂雪斋虽是难得，白苏斋与梨云馆本中郎集在道光年均有翻刻，而或因被骂太久之故也竟流传不广，以致连骂者亦未能看见，真真一大奇事。这回把中郎集印了出来，使得大家可以看看，功德无量。无论意见如何，总之看了再说，即使要骂也有点儿根据。

中郎是明季的新文学运动的领袖，然而他的著作不见得样样都好，篇篇都好，翻过来说，拟古的旧派文人也不见得没有一篇可取，因为他们到底未必整天整夜的装腔[1]作势，一不小心也会写下一小篇即兴的文章来，如专门模仿经典的杨子云做有《酒箴》，即是一例。中郎的诗，据我这诗的门外汉看来，只是有消极的价值，即在他的反对七子的假古董处，虽然标举白乐天苏东坡，即使不重模仿，与瓣香李杜也只百步之差，且那种五七言的玩意儿在那时候也已经做不出什么花样来了，中郎于此不能大有作为原是当然，他所能做的只是阻止更旧的，保持较新的而已。在散文方面中郎的成绩要好得多，我想他的游记最有新意，传序次之，《瓶史》与《觞政》二篇大约是顶被人骂为山林恶习之作，我却以为这很有中郎特色，最足以看出他的性情风趣。尺牍虽多妙语，但视苏黄终有间，比孙仲益自然要强，不知[2]怎的尺牍与题跋后来的人总写不过苏黄，只有李卓吾特别点，他信里那种斗争气分也是前人所无，后人虽有而外强中干，却很要不得了。中郎反抗正统的“赋得”文学自是功在人间，我们怀念他的功绩，再看看他的著作，成就如何，正如我们读左拉的小说，看他与自然主义的理论离合如何，可以明了文学运动的理想与现实，可以知人论世，比单凭文学史而议论得失，或不看作品而信口雌黄，总要较为可靠乎。

中郎喜谈禅，又谈净土，著有《西方合论》一卷，这一部分为[3]我所不大喜欢，东坡之喜谈修炼也正是同样的一种癖。伯修与小修，陶石篑石梁，李卓吾屠长卿，也都谈佛教，这大约是明末文坛的普通现象。正统派照例是儒教徒，而非正统派便自然多逃儒归佛，佛教在那时虽不是新思想，却总是一个自由天地，容得他们托足，至于是否够说信仰，那我就不好代为回答了。反对这些新文学潮流的人骂他们妖妄变幻，或者即侧重此点，我看《苌楚斋随笔》中屡次说到明朝之亡由于李屠诸人之信佛教毁伦常，可以参证，不过李屠以及二陶三袁固然与佛有关，竟陵的钟谭似并不这样，然则此文所云又是疑问了。正统派骂公安竟陵为亡国之音，我疑心这句话自从甲申以后一直用到如今了罢，因为明朝亡了是千真万确的事实，究竟明朝亡于何人何事也是公说公有理婆说婆有理，而且更是死无对证，我想暂不讨论，但是什么是亡国之音，这件事似乎还可以来探讨一下。有人说，亡国之音便是公安竟陵那样的文章。这样的干脆决断，仿佛事情就完了，更无话可说。然而不然。所谓亡国之音这是有出典的，而且还出在经书里。查《礼记》，《乐记》第十九云："亡国之音哀以思，其民困。"孔颖达疏云："亡国谓将欲灭亡之国，乐音悲哀而愁思，亡国之时民心哀思，故乐音亦哀思，由其人困苦故也。"后又云："桑间濮上之音，亡国之音也。"郑玄注云："濮水之上地有桑间者，亡国之音于此之水出也。昔殷纣使师延作靡靡之乐，已而自沉于濮水，后师涓过焉，夜闻而写之，为晋平公鼓之，是之谓也。"在同一篇中，有两样说法，迥不相同，一说乐音哀思，一说靡靡之乐，令人无所适从。郑玄虽然也是大儒，所说又有韩非做根据，但是我们总还不如信托经文，采取哀思之说，而桑间濮上应即承上文而言，至于其音是否哀以思，是否与上文不矛盾，则书缺有间，姑且存疑。中郎的文章说是有悲哀愁思的地方原无不可，或者这就可以说亡国之音。《诗经·国风》云：

有兔爰爰，雉离于罗。
我生之初，尚无为。
我生之后，逢此百罹。
尚寐无吪！

这种感情在明季的人心里大抵是很普通罢。有些闲适的表示实际上也是一种愤懑，即尚寐无吪的意思。外国的隐逸多是宗教的，在大漠或深山里积极的修他[4]的胜业，中国的隐逸却是政治的，他们在山林或在城市一样的消极的度世。长沮桀溺曰，“滔滔者天下皆是也，而谁与易之?”便说出本意来。不过这种情形我想还应用《乐记》里别一句话来包括才对，即是“乱世之音怨以怒，其政乖”。孔颖达解亡国为将欲灭亡之国，这也不对，亡国便干脆是亡了的国，明末那些文学或可称之曰乱世之音，顾亭林傅青主陈老莲等人才是亡国之音，如吴梅村临终的词亦是好例。闲话休提，说乱世也好，说亡国也好，反正这都是说明某种现象的原因，《乐记》云，“情动于中故形于声，声成文谓之音”，其情之所以动，则或由世乱政乖，或由国亡民困，故其声亦或怨怒或哀思，并不是无缘无故的会忽发或怨怒或哀思之音，更不是有人忽发怨怒之音而不乱之世就乱，或忽发哀思之音而不亡之[5]国会亡也。中郎的文章如其是怨以怒的，那便是乱世之音，因为他那时的明朝正是乱世；如其是哀以思的，那就可以算是亡国之音，因为明末正是亡国之际，“时当末造，非人力所能挽回”，所可说的如此而已，有什么可以“昭后世之炯戒”的地方呢？使后世无复乱世，则自无复乱世之音，使后世无复亡国，则自无复亡国之音，正如有饭吃饱便不面黄肌瘦，而不生杨梅疮也就不会鼻子烂落也。然而正统派多以为国亡由于亡国之音，一个人之没有饭吃也正由于他的先面黄肌瘦，或生杨梅疮乃由于他的先没有鼻子。呜呼，熟读经典者乃不通《礼记》之文，一奇也。中郎死将三百年，事隔两朝，民国的文人乃尚欲声讨其亡国之罪，二奇也。关于此等问题，不佞殆只得今天天气哈哈哈矣。

说到这里，或者有人要问，足下莫非是公安派或竟陵派乎？莫非写亡国之音者乎？这个疑问也问得当然，但是我惭愧不能给他一个肯定的答语。第一，我不是非宗教者，但实是一个无宗教者。我的新旧教育都不完全，我所有的除国文和三四种外国文的粗浅知识以外，只有一点儿生物的知识，其程度只是丘浅治郎的《生物学讲话》，一点儿历史的知识，其程度只是《纲鉴易知录》而已，此外则从蔼理斯得来的一丝的性的心理，从茀来则得来的一毫的社会人类学，这些鸡零狗碎的东西别无用处，却尽够妨碍我做某一家的忠实的信徒。对于一切东西，凡是我所能懂的，无论何种主义理想信仰以至迷信，我都想也大抵能领取其若干部分，但难以全部接受，因为总有其一部分与我的私见相左。公安派也是如此，明季的乱世有许多情形与现代相似，这很使我们对于明季人有亲近之感，公安派反抗正统派的复古运动，自然更引起我们的同感，但关系也至此为止，三百年间迟迟的思想变迁，也就不会使我们再去企图复兴旧庙的香火了。我佩服公安派在明末的新文学运动上的见识与魄力，想搜集湮没的三袁著作来看看，我与公安派的情分便是如此。第二，我不是文学家，没有创作，也说不上什么音不音。假如要说，无论说话写字都算是音，不单是创作，原来《乐记》的所谓音也是指音乐，那么，我也无从抵赖。是的，我有时也说话也写字，更进一步说，即不说话不写字亦未始不可说是音，沉默本来也是一种态度，是或怨怒或哀思的表示。中国现在尚未亡国，但总是乱世罢，在这个时候，一个人如不归依天国，心不旁骛，或应会试作"赋得文治日光华"诗，手不停挥，便不免要思前想后，一言一动无不露出消极不祥之气味来，何则，时非治世，在理固不能有好音，此查照经传可得而断言者也。国家之治乱兴亡自当责有攸归，兹不具论，若音之为乱世或亡国，则固由乱世或亡国的背景造成之，其或怨怒或哀思的被动的发音者应无庸议。今之人之不能不面黄肌瘦者真是时也命也，不佞岂能独免哉，不佞非公安派而不能逃亡国之音之谥者亦是时也命也。吾于是深有感于东北四省之同胞，四省之人民岂愿亡国哉，亦并何尝预为亡国之音，然而一旦竟亡，亦是时也命也。我说时与命者，言此与人民之意志无关，与文学之音亦无关也。音之不祥由于亡国，而亡国则由于别事，至少决不由于音之祥不祥耳。人苟少少深思，正当互相叹惋，何必多哓哓也。

闲话说得太多了，而实于中郎无甚关系，似乎可以止住了。重刊《中郎集》鄙意以为最好用小修所编订本，而以别本校其异同，增加附录，似比另行编辑为适宜。标点古书是大难事，错误殆亦难免，此在重刊本体例上似有可商者，附识于此，以示得陇望蜀或求全责备之意云尔。

中华民国二十三年十一月十三日，识于北平。

【锺校】

①“腔”原作“调”。

②“知”原作“这”。

③原无“为”字，今增。

④“他”原作“地”。

⑤原无“之”字，今增。

《现代散文选》序

孙席珍君编《现代散文选》，叫我写一篇序文。孙君是同乡旧友，我觉得义不容辞，其次又觉得关于这题目还有话可说，所以答应了。可是答应下来之后，一搁就是一暑假加另，直到现在孙君来催，说本文差不多已经印齐了，这才没法只得急忙来赶写。

我说急忙，这里含有张皇之意。为什么呢？我当初答应写序文，原是心里打算有话可说的，但是后来仔细思索，却又发见可说的话并不多，统写下来也不过半页上下，决不能算一篇序。而且这些话大半又曾经在什么地方说过的，现在再拿来说，虽然未必便是文抄公，也总有点不合式，至少也是陈年不新鲜。

那么怎么办呢？说也奇怪，我对于新文学的现代散文说不出什么来，对于旧文学的古文却似乎颇有所知，也颇有点自信。这是否为的古人已死，不妨随意批评，还是因为年纪老大，趋于反动复古了呢？这两者似乎都不是。昭明太子以及唐宋八大家确是已死，但我所说的古文并不限于他们，是指古今中外的人们所做的古文，那么这里边便包括现代活人在内，对于这些活人所写的古文我仍然要不客气的说，这是一。年纪大了，见闻也加多，有些经验与感情是庚子辛亥丙辰丁巳以后诞生的青年诸公所不知道的，但是压根儿还是现代人，所写的无论哪一篇都是道地的现代文，一丝一毫没有反动的古文气，此其二。然而我实在觉得似乎更确实的懂得古文的好坏，这个原因或者真是我懂得古文，知道古文的容易做所以也容易看罢。

这个年头儿，大家都知道，正是古文反动的时期。文体改变本来是极平常的事，于人心世道国计民生了无干系，如日本自明治上半文学革命，一时虽有雅俗折衷言文一致种种主张，结果用了语体文，至于今日虽是法西斯蒂高唱入云之际，也并没有人再来提出文言复兴，因为日本就是极右倾的人物也知道这些文字上的玩意儿是很无聊极无用的事。日本维新后，科学的医术从西洋传了进去，玄学的汉法医随即倒地，再也爬不起来，枪炮替代了弓箭大刀，拳术也只退到练习手眼的地位。在中国却不然，国家练陆军，立医学校，而“国医国术”特别蒙保护优待，在民间亦十分珍重信托。古文复兴运动同样的有深厚的根基，仿佛民国的内乱似的应时应节的发动，而且在这运动后面都有政治的意味，都有人物的背景。五四时代林纾之于徐树铮，执政时代章士钊之于段祺瑞，现在汪懋祖不知何所依据，但不妨假定为戴公传贤罢。只有《学衡》的复古运动可以说是没有什么政治意义，真是为文学上的古文殊死战，虽然终于败绩，比起那些人来要更胜一筹了。非文学的古文运动因为含有政治作用，声势浩大，又大抵是大规模的复古运动之一支，与思想道德礼法等等的复古相关，有如长蛇阵，反对的人难以下手总攻，盖如只击破文学上的一点仍不能取胜，以该运动本非在文学上立脚，而此外的种种运动均为之支拄，决不会就倒也。但是这一件事如为该运动之强点，同时却亦即其弱点。何也？该运动如依托政治，固可支持一时，唯其性质上到底是文字的运动，文字的运动而不能在文学上树立其基础，则究竟是花瓶中无根之花，虽以温室硫黄水养之，亦终不能生根结实耳。古文运动之不能成功也必矣，何以故？历来提倡古文的人都不是文人——能写文章或能写古文者，且每下愈况，至今提倡或附和古文者且多不通古文，不通古文者即不懂亦不能写古文者也，以如此的人提倡古文，其结果只平空添出许多不通的古文来而已。我不能写古文，却自信颇懂得其好丑，尝欲取八大家与桐城派选拔其佳者订为一卷，因事忙尚未果，现今提倡古文者如真能写出好古文来，不佞亦能赏识之，一面当为表彰，一面当警告写白话文者赶紧修战备，毋轻敌。今若此，我知其无能为矣，社会上纵或可占势力，但文学上总不能有地位也。

古文既无能为，则白话文的前途当然很有希望了。但是，古文者文体之一耳，用古文之弊害不在此文体而在隶属于此文体的种种复古的空气，政治作用，道学主张，模仿写法等。白话文亦文体之一，本无一定属性，以作偶成的新文学可，以写赋得的旧文学亦无不可，此一节不可不注意也。如白话文大发达，其内容却与古文相差不远，则岂非即一新古文运动乎。尔时散文虽丰富，恐孙君将选无可选，而不佞则序文可以不写，或者亦是塞翁之一得耳。

二十三年十一月十六日，识于北平。

《长之文学论文集》跋

李长之君在北大理预科时我就认识他。他学过生物，又转习哲学，爱好文学，常写些批评文。这回要选集了出一本书，叫我写序，这个我当然愿意作，虽然我的文学小铺早已关门，对于文学不知道怎么说好，但是我相信以李君的学力与性格去做文学批评的工作总是很适当能胜任的，所以关于本题权且按下不表，我在这里只能来说几句题外的闲话罢了。

我读李君的文章留下印象最深的一点是他对于儿童的关切。在现今的中国，我恐怕教育上或文艺上对于这个问题不大注意久矣夫已非一日了罢。说也奇怪，家里都有小孩，学校内和街上也都是，然而试问儿童是什么？谁知道！或者这是一种什么小东西子罢，或者这是小的成人，反正没有多大关系。民国初年曾经有人介绍过蒙德淑利的《儿童之家》，一时也颇热闹，我在东南的乡下见到英文书也有十种之谱，后来我都寄赠给北京女高师，现在大约堆在什么地方角落里，中国蒙德淑利的提倡久已消灭，上海大书店所制的蒙氏教具也早无存货罢。幼稚园，这实在可称为“儿童之园”，因为正式列入教育统系的缘故，总算至今存在，似乎也有点只幼稚而不园。福勒贝尔大师的儿童栽培法本来与郭橐驼的种树法相通，不幸流传下来均不免貌似神离，幼稚园总也得受教育宗旨的指挥，花儿匠则以养唐花扎鹿鹤为事了。听说现代儿童学的研究起于美洲合众国，斯丹莱霍耳博士以后人才辈出，其道大昌，不知道何以不曾传入中国？论理中国留学美国的人很多，学教育的人更不少，教育的对象差不多全是儿童，而中国讲儿童学或儿童心理的书何以竟稀若凤毛麟角，关于儿童福利的言论亦极少见，此固一半由于我的孤陋寡闻，但假如文章真多，则我亦终能碰见一篇半篇耳。据人家传闻，西洋在十六世纪发见了人，十八世纪发见了妇女，十九世纪发见了儿童，于是人类的自觉逐渐有了眉目，我听了真不胜歆羡之至。中国现在已到了哪个阶段我不能确说，但至少儿童总尚未发见，而且也还未曾从西洋学了过来。

自从文章上有“救救孩子”的一句话，这便成为口号，一时也流行过。但是怎样救法呢，这还未见明文。我的“杞天之虑”是，要了解儿童问题，同时对于人与妇女也非有了解不可，这须得先有学问的根据，随后思想才能正确。狂信是不可靠的，刚脱了旧的专断便会走进新的专断。我又说，只有不想吃孩子的肉的，才真正配说救救孩子。现在的情形，看见人家蒸了吃，不配自己的胃口，便嚷着要把“它”救了出来，照自己的意思来炸了吃。可怜人这东西本来总难免被吃的，我只希望人家不要把它从小就“栈”起来，一点不让享受生物的权利，只关在黑暗中等候喂肥了好吃或卖钱。旧礼教下的卖子女充饥或过瘾，硬训练了去升官发财或传教打仗，是其一，而新礼教下的造成种种花样的信徒，亦是其二。我想人们也太情急了，为什么不能慢慢的来，先让这班小朋友们去充分的生长，满足他们自然的欲望，供给他们世间的知识，至少到了中学完毕，那时再来诱引或哄骗，拉进各派去也总不迟。现在却那么迫不及待，道学家恨不得夺去小孩手里的不倒翁而易以俎豆，军国主义者又想他们都玩小机关枪或大刀，在幼稚园也加上战事的训练，其他各派准此。这种办法我很不以为然，虽然在社会上颇有势力。蒙德淑利与福勒贝尔的祖国都变成了法西斯的本场，教育与文艺都隶属于政治之下，壮丁已只是战争之资料，更何论妇女与儿童乎！此时而有救救孩子的呼声，如不是类似拍花子的甘言，其为大胆深心的书呆子的叹息盖无疑矣。

天下之书呆子少而拍花子多，盖不得已之事也。老实说，我对于救救孩子的呼声一点儿都不相信，李君对于欺骗小孩子的甚为愤慨，常有言论，这我最有同感。教育家不把儿童看在眼里，但是书店却把他们看在眼里的，这就是当作主顾看，于教科书之外再摆出些读物来，虽然他们如亲自到柜台边去，却也仍旧要遇着伙计们的白眼的。中国学者中没有注意儿童研究的，文人自然也同样不会注意，结果是儿童文学也是一大堆的虚空，没有什么好书，更没有什么好画。在日本这情形便很不相同，学者文人都来给儿童写作或编述，如高木敏雄，森林太郎，岛崎藤村，铃木三重吉等皆是。画家来给儿童画插画，竹久梦二可以说是少年少女的画家，最近如田河水泡画作的《凸凹黑兵卫》的确能使多多少少的小儿欢喜笑跳，就是我们读了也觉得有兴趣。可惜中国没有这种画家，一个也没有。——可是这有什么法子。第一，实在天不生这些人才。第二，国民是整个的，政客军人教育家文士画师，好总都好，坏也都坏，单独期望谁都不成，攻击谁也都不大平安。李君却要说话，这是我所最佩服的。我也记不清是哪儿篇文章了，也不知是批评出版还是思想哪一方面的权威了，总之我记得的是李君对于儿童的关切，其次是说话的勇气，不佞昔日虽曾喜谈虎，亦自愧弗如矣。

李君的书是批评论文集，我这样的乱说一番，未免有点文不对题。但是我早同李君说过，我写序跋是以不切题为宗旨的。还有一层，我说李君对于儿童的关切等等，即使集中很少这些论文也并不妨，反正这是李君的一种性格，我不敢论文，只少少论人而已。至于论人假如仍旧论得不切题，那么这也就包括在上文所说之内，请大家原谅可也。

二十三年十一月二十日，识于北平。

墨憨斋编《山歌》跋

明末清初文坛上有两个人，当时很有名，后来埋没了，现在却应当记忆的，一是唱经堂金圣叹，二是墨憨斋冯梦龙，——此外还有湖上笠翁，现在且按下不表。

关于金圣叹的事迹，《心史丛刊》中有一篇考，说得颇详细。佩服圣叹的人后世多有，但我想还应以清初的刘继庄与廖柴舟为代表。廖柴舟的《二十七松堂文集》卷十四有一篇《金圣叹先生传》，圣叹死后三十五年过吴门，“访先生故居而莫知其处，因为诗吊之，并传其略”云。传末论断曰：

> 予读先生所评诸书，领异标新，迥出意表，觉作者千百年来至此始开生面，呜呼，何其贤哉。

又曰：

> 然画龙点睛，金针随度，使天下后学悉悟作

文用笔墨法者，先生力也。

柴舟对于圣叹极致倾倒，至于原因则在其能揭发“文章秘妙”，有功后学。刘继庄著《广阳杂记》五卷，有两处说及圣叹。卷三讲到潘良耜的《南华会解》，以内七篇为宗，外篇杂篇各以类从分附七篇之后，云：

后游吴门，见金圣叹先生所定本，亦依此序而删去《让王》《渔父》《盗跖》《说剑》四篇，而置《天下》篇于后。予尝问金释弓曰，曾见潘本《会解》否？释弓曰，唱经堂藏此本，今籍没入官矣。则圣叹当时印可此书可知。

卷四说蜀中山水之奇，“自幼熟读杜诗，若不入蜀，便成唐丧”，后云：

唱经堂于病中无端忽思成都，有诗云，卜肆垂帘新雨霁，酒垆眠客乱花飞，馀生得到成都去，肯为妻儿一洒衣。想先生亦是杜诗在八识田中作怪，故现此境，不然先生从未到成都，何以无端忽有此想耶。

全谢山为继庄作传，末有附识两则，其二曰：

继庄之才极矣，顾有一大不可解者，其生平极许可金圣叹，故吴人不甚知继庄，间有知之者则以继庄与圣叹并称，又咄咄怪事也。圣叹小才耳，学无根柢，继庄何所取而许可之，乃以万季野尚有未满而心折于圣叹，则吾无以知之。然继庄终非圣叹一流，吾不得不为别白也。

谢山虽有学问却少见识，故大惊小怪，其实这一个大不可解很易解，《广阳杂记》卷二有此两则云：

余观世之小人未有不好唱歌看戏者，此性天中之《诗》与《乐》也，未有不看小说听说书者，此性天中之《书》与《春秋》也，未有不信占卜祀鬼神者，此性天中之《易》与《礼》也。圣人六经之教原本人情，而后之儒者乃不能因其势而利导之，百计禁止遏抑，务以成周之刍狗茅塞人心，是何异壅川使之不流，无怪其决裂溃败也。夫今之儒者之心为刍狗之所塞也久矣，而以天下大器使之为之，爰以图治，不亦难乎。

×

余尝与韩图麟论今世之戏文小说。图老以为败坏人心莫此为甚，最宜严禁者。余曰，先生莫作此说，戏文小说乃明王转移世界之大枢机，圣人复起不能舍此而为治也。图麟大骇。余为之痛言其故，反复数千言，图麟拊掌掀髯，叹未曾有。彼时只及戏文小说耳，今更悟得卜筮祠祀为《易》《礼》之原，则六经之作果非徒尔已也。

茅塞儒者之心盖已久矣，此段道理本甚平实的确，然而无人能懂，便是谢山似亦不解，当时盖唯继庄圣叹能知之耳。圣叹评《离骚》《南华》《史记》《杜诗》《西厢》《水浒》，以次序定为“六才子”，此外又取《易》《左传》等一律评之，在圣叹眼中六经与戏文小说原无差别，不过他不注重转移世界的问题而以文章秘妙为主，这一点是他们的不同而已。说到这里，冯梦龙当然也是他们的同志，他的倾向与圣叹相近，但他又不重在评点，而其活动的范围比圣叹也更为博大。说也奇怪，圣叹著述有流传而梦龙简直不大有人知道，吾友马隅卿先生搜集梦龙著作最多，研究最深，为辑《墨憨斋遗稿》，容肇祖先生曾撰论考发表，始渐见知于世。墨憨斋在文学上的功绩多在其所撰或所编的小说戏文上，此点与圣叹相同，唯量多而质稍不逮，可以雄长当时而未足津逮后世，若与圣叹较盖不能不坐第二把交椅了，但在另一方面别有发展，即戏文小说以外的别种俗文学的编选，确是自具手眼，有胆识，可谓难能矣。梦龙集史传中笑谈，编为《古今谭概》，又集史传中各种智计，编为《智囊》正续两编，此外复编《笑府》十三卷，则全系民间笑话也。今《谭概》尚可见到，后人改编为《古笑史》，有李笠翁序，亦不难得，《智囊》稍希见，而《智囊补》则店头多有，且此种类似的书亦不少，如《智品》《遣愁集》皆是，唯《笑府》乃绝不可见，闻大连图书馆有一部，又今秋往东京在内阁文库亦曾一见而已。《笑府》有墨憨斋主人序曰：

古今来莫非话也，话莫非笑也。两仪之混沌开辟，列圣之揖让征诛，见者其谁耶，夫亦话之而已。后之话今，亦犹今之话昔，话之而疑之，可笑也，话之而信之，尤可笑也。经书子史，鬼话也[①]，而争传焉；诗赋文章，淡话也，而争工焉；褒讥伸抑，乱话也，而争趋避焉。或笑人，或笑于人，笑人者亦复笑于人，笑于人者亦复笑人，人之相笑宁有已时。《笑府》，集笑话也，十三篇犹云薄乎云尔。或阅之而喜，请勿喜；或阅之而嗔，请勿嗔。古今世界一大笑府，我与若皆在其中供话柄。不话不成人，不笑不成话，不笑不话不成世界。布袋和尚，吾师乎，吾师乎。

《笑府》所收笑话多极粗俗，与《笑林广记》里的相似，《广记》盖即根据《笑府》而改编者，但编者已不署名，到了后来再改为《一见哈哈笑》等，那就更不行了。笑话在中国古代地位本来不低，孔孟以及诸子都拿来利用过，唐宋时也还有人编过这种书，大约自道学与八股兴盛以后这就被驱逐出文学的境外，直到明季才又跟了新文学新思想的运动而复活过来，墨憨斋的正式编刊《笑府》，使笑话再占俗文学的一个坐位，正是极有意义的事。与这件事同样的有意义的，便是他的编刊《山歌》了。《山歌》一书未曾有人说起，近为吾乡朱君所得，始得一读，书凡十卷，大抵皆吴中俗歌，末一卷为《桐城时兴歌》，有序曰：

书契以来，代有歌谣，太史所陈，并称风雅，尚矣。自楚骚唐律，争妍竞畅，而民间性情之响，遂不得列于诗坛，于是别之曰山歌，言田夫野竖矢口寄兴之所为，荐绅学士家不道也。唯诗坛不列，荐绅学士不道，而歌之权愈轻，歌者之心亦愈浅，今所盛行者皆私情谱耳。虽然，桑间濮上，《国风》刺之，尼父录焉，以是为情真而不可废也。山歌虽俚甚矣，独非郑卫之遗欤？且今虽季世，而但有假诗文，无假山歌，则以山歌不与诗文争名，故不屑假。苟其不屑假，而吾借以存真，不亦可乎。抑令人想见上古之陈于太史者如彼，而近代之留于民间者如此，倘亦论世之林云尔。若夫借男女之真情，发名教之伪药，其功与《挂枝儿》等，故录《挂枝儿》而次及《山歌》。

案原书总题《童痴二弄》，然则其中应包含《挂枝儿》与《山歌》两种，今《挂枝儿》已佚，仅存其《山歌》这一部分耳。序中所言与刘继庄谓好唱歌为性天中之《诗》同一道理，继庄在《广阳杂记》卷四中又有一节，可以参证：

> 旧春上元在衡山县，曾卧听采茶歌，赏其音调而于辞句懵如也。今又在衡山，于其土音虽不尽解，然十可三四领其意义，因之而叹古今相去不甚远，村妇稚子口中之歌而有十五国之章法，顾左右无与言者，浩叹而止。

袁中郎《锦帆集》卷二《小修诗序》中亦云：

> 且夫天下之物孤行则必不可无，必不可无，虽欲废焉而不能；雷同则可以不有，可以不有，则虽欲存焉而不能。故吾谓今之诗文不传矣，其万一传者，或今闾阎妇人孺子所唱《擘破玉》《打草竿》之类，犹是无闻无识真人所作，故多真声，不效颦于汉魏，不学步于盛唐，任性而发，尚能通于人之喜怒哀乐嗜好情欲，是可喜也。

此种意义盖当时人多能言之，唯言之不难，实行乃为难耳。墨憨斋编刊《童痴二弄》，所以可说是难能可贵，有见识，有魄力，或者这也是明末风气，如袁中郎在《觞政》中举《金瓶梅》为必读书，无人见怪，亦未可知，但总之此类署名编刊的书别无发见，则此名誉仍不得不归之墨憨斋主人也。

《山歌》十卷中所收的全是民间俗歌，虽然长短略有不同，这在俗文学与民俗学的研究上是极有价值的。中国歌谣研究的历史还不到二十年，搜集资料常有已经晚了之惧，前代不曾有一总集遗传下来，甚是恨事，现在得到这部天崇时代的民歌集，真是望外之喜了。还有一层，文人录存民歌，往往要加以笔削，以致形骸徒存，面目全非，亦是歌谣一劫，这部《山歌》却无这种情形，能够保存本来面目，更可贵重，至于有些意境文句，原来受的是读书人的影响，自然混入，就是在现存俗歌中也是常有，与修改者不同，别无关系。从前有人介绍过《白雪遗音》，其价值或可与《山歌》比，惜只选刊其一部分，未见全书，今朱君能将《山歌》覆印行世，其有益于学艺界甚非浅鲜矣。关于冯梦龙与《山歌》的价值，有马隅卿顾颉刚两先生之序论在，我只能拉杂写此一篇，以充跋文之数而已。

（中华民国念三年十一月念四日，识于北平苦茶庵）

【锺校】

①“也”原作“焉”，下同。

《儿童故事》序

中国讲童话大约还不到三十年的历史。上海一两家书店在清末出些童话小册，差不多都是抄译日本岩谷小波的《世界童话百种》，我还记得有《玻璃鞋》《无猫国》等诸篇。我因为弄神话，也牵连到这方面来，辛亥以前我所看见的书只有哈忒阑的《童话之科学》与麦古洛克的《小说的童年》，孤陋寡闻得很。民国初年写过几篇小论文，杂志上没处发表，直到民国九年在孔德学校讲了一回“儿童的文学”，这篇讲稿总算能够在《新青年》揭载出来，这是我所觉得很高兴的一件事。近十年来注意儿童福利的人多起来了，儿童文学的书与儿童书的店铺日见兴旺，似乎大可乐观，我因为从前对于这个运动也曾经挑过两筐子泥土的，所以像自己的事情似的也觉得高兴。

但是中国的事情照例是要打圈子的，仿佛是四日两头病，三好两歹的发寒热。实例且慢举，我们这里只谈童话，童话里边革命之后也继以反动。我看日本并不如此，那位岩谷叔叔仍然为儿童及其关系者所推重，后起的学者更精进地做他的研究编写的工作，文人则写作新的童话，这是文学里的一个新种类。在中国革新与复古总是循环的来，正如水车之翻转，读经的空气现在十分浓厚，童话是新东西，此刻自然要吃点苦，而且左右夹攻，更有难以招架之势。他们积极的方面是要叫童话去传道，一边想他鼓吹纲常名教，一边恨他不宣传阶级专政，消极的方面则齐声骂现今童话的落伍，只讲猫狗说话，不能羽翼经传。传道与不传道，这是相反的两面，我不是什么派信徒，是主张不传道的，所以与传道派的朋友们是隔教，用不着辩论。至于对父师们说的话，在前两年出版的《儿童文学小论》中已经说了不少，也无须再来重述了。我只想自己检察一下，小时候读了好些的圣经贤传，也看了好些猫狗说话的书，可是现在想起来，一样的于我没有影响，留下的印象只是猫狗要比圣贤更有趣味，虽然所说的话也不可靠。我说儿童读经之无用，与主张读猫狗讲话之无害，正是同一根据。以我自己的经验来说，圣贤讲话从头就听不进去，对于猫狗讲话当时很是爱听，但是年纪稍大有了一点生物学知识，自然就不再相信，后来年纪更大，得到一点人类学知识，关于猫狗说话的童话却又感到兴味起来了。我恐怕终是异端，其经验与意见难免不甚可信吧，在正统派的人看来。然而我有什么办法呢？我未能以他人的经验为经验，以他人的意见为意见也。

我想我们如为儿童的福利计，则童话仍应该积极的提倡也。研究，编写，应用，都应该有许多的人，长久的时间，切实的工作。这个年头儿，大约有点儿不容易，那也难怪，但是也不见得便不可能，耐寂寞肯辛苦的人到处随时总也是有的。点一枝寸金烛，甚至于只一根棒香，在暗星夜里，总是好的，比不点什么要好，而且吃旱烟的也可以点个火，或者更可以转点别的香和蜡烛，有合于古人薪传之意。

因此我对于近时在做童话工作的人表示敬意，他们才真是有心想救救孩子的人。这《儿童故事》的编述者翟显亭先生即是其一。给儿童编述故事已是胜业，而其编述的方法尤可佩服。编述童话有两件大困难，其一是材料的选择，其二是语句的安排，这是给儿童吃的东西，要他们吃了有滋味，好消化，不是大人的标准所能代为决定的。两年前我曾翻译几篇儿童剧，便很尝过这种困难。我第一怀疑所选的能否受到儿童的爱顾，觉得没有什么把握。其次，“我所最不满意的是，原本句句是意思明白文句自然，一经我写出来便往往变成生硬别扭的句子，无论怎样总弄不好，这是十分对不起小朋友的事。我的希望是满天下有经验的父师肯出来帮一下子，仿佛排难解纷的侠客似的，便是在这些地方肯毅然决然的加以斧削，使得儿童更易了解”。去年买到英国新出的《安特路阑的动物故事》，系选自阑氏两本故事集中，共五十二篇，小引云：

> 编这册书的时候，将全部动物故事凡百十一篇都交给一个十岁的小姑娘，请她读过之后每篇给一个分数，表示她喜欢的程度。总数算是十分，凡是她所打分数在七分半以上者才选录在这里边。

这个办法我觉得顶好。翟先生所录的十篇故事却正是用同样方法试验过的，这在中国恐怕是得未曾有罢。有孔德学校和市立小学的许多小朋友们肯做考官，给过及格的分数，那是天下最可靠的事，比我们老人的话靠得住多了，我在这里无须多话，只是来证明这件事实实在在是如此而已。

民国二十三年十二月十三日，记于北平。

《古音系研究》序

建功将刊其所著《古音系研究》，不佞即答应为作序。但是，我怎么可以给建功作序呢？盖建功绩学多才艺，而其所专攻者则为声韵之学，在不佞听之茫然，常与玄同建功戏语称之为未来派者也。虽然，我与建功相识十年矣，自民六由中学教员混入大学，十七八年间所见海内贤俊不可胜数，但因同学的关系而相熟识，至今往来谈笑通询者才四五人耳，建功其一也。此诸公有所作述，我乌得不论懂得与否而题记之，故今日之事志在必写，虽或建功力求勿写而亦不可得也。

民国前四年曾在东京民报社从太炎先生听讲《说文解字》。那时我的志愿只是想懂点"小学"罢了，而且兴趣也单在形体训诂一方面，对于音学就是那么茫然。一九〇一年我考进江南水师学堂，及读英文稍进，辄发给马孙（C. P. Mason）的英文法，我所得者为第四十版，同学多嫌其旧，我则颇喜其有趣味，如主（Lord）字古文为管面包者（hlaford），主妇（Lady）字为捏面包者（hlaefdige），最初即从此书中看来。一九〇四年严复的《英文汉诂》出版，亦是我所爱读书之一，其实即以马孙为底本，唯译语多古雅可喜耳。以后常读此类书，斯威忒（H. Sweet）叶斯伯生（C. Jespersen）的文法，威克莱（E. Weekley）斯密斯（L. P. Smith）的英语诸书，近来还在看巴菲耳特（O. Barfield）的《英字中的历史》以消遣。因此我与文字之学并不是全无情分的，不过我的兴味盖多在其与民俗学接触的边沿一部分，与纯正的文字学故不甚相近也。日本《言语志丛刊》的发刊趣旨中云，在言语的发达与变迁里反映出民族的生活，我所喜欢的就只是这一点。我最爱丛刊中柳田国男氏的《蜗牛考》，他说明蜗牛古名“都布利”（tsuburi）与草囤“都具拉”（tsugura）的关系，觉得很有意思。越中多以草囤暖茶，或冬日坐小儿，称曰囤窠，这个制法的确与蜗牛壳是颇相像的。书中又讲到水马儿的名称，这在所著《民间传承论》第八章言语艺术项下说得更是简要，今抄录于下：

命名者多是小孩，这是很有趣的事。多采集些来看，有好多是保姆或老人替小孩所定的名称，大概多是有孩子气的，而且这也就是很好的名字。例如东京称为“饧糖仔”（amembō，即水马儿）的虫，各地方言不同，搜集来看就可明白命名者都是小孩，特别有意思的是并不根据虫的外形或其行走的状态，却多因了它的味道或气息给它取名字。“卖盐的”（shiöuri），“卖盐大哥”（shiöuritarō），“盐店老板”（shiöya）这些名称都因为放到口里有点咸味而起的。“饧糖仔”，“卖糖的”（ameüri），“凝煎”（giōsen，即地黄煎，一种药糖），这大约因为虫的气味有点像饧糖吧。这样的名字大人是未必会取的。水澄虫（mizusumashi，即豉虫）也有许多小孩似的方言名字，这又大抵是说写或洗，多因虫的举动而加上去的。如“写字虫”（jikakimushi），“伊吕波虫”（irohamushi，犹云“天地玄黄虫”，意即“写字”），“洗碗的”（wanärai），“洗木碗的”（gokiärai），这些名称分散在各地方，是可以注意的事。“拌糍团的”（kaimochikaki）的名字则盖是由于虫的右转的运动而起的了。

《蜗牛考》中关于这个名称有说明云：

从写（Kaku）这字，小人们的想像便直跑到糍团（Kaimochi）去。实在这虫的旋转的确也有足以使他想起母姊那么搅拌米食的手势的地方。

这是颇有趣味的例，只可惜经过重译外国语便失了原有的香味，假如对于名物又稍生疏，那就更没有什么意思。在中国这种例原亦不少，我常想到那蠼螋，我们乡间称作“其休”，殆即原名的转变，他处名钱串子，或云钱龙，则是从形状得来的名字。又如《尔雅》云科斗活东，北京称虾蟆骨突儿，吾乡云虾蟆温，科斗与活东似即一语，骨突与科斗亦不无关系，至虾蟆温之温是怎么一回事我还不能知道。虾蟆骨突儿这个字的语感我很喜欢，觉得很能表现那小动物的印象，一方面又联想到夜叉们手里的骨朵，我们平常吃的酱疙瘩和疙瘩汤，不伦不类地牵连出许多东西来。不过要弄这一类的学问也是很不容易，不但是对于民俗的兴趣，还得有言语学的知识，这才能够求其转变流衍，从里边去看出国民生活的反映。我正是一个白吃现成饭的，眼看着人家火耕而水耨，种出谷子来时讨来磨粉做糕吃，实在是惭愧得很。但是，我总是知惭愧的，知道这谷子是农夫所种而非出于蒲包，因此对于未来派之学术虽然有似敬畏却亦实在未敢菲薄者也。

昔者建功作《科斗说音》，盖可与程瑶田之《果蠃转语记》相比，唯深通言语声音转变之理者始能为之耳。《古音系研究》六篇，又建功本其多年攻治教学之所得，写为一卷书，在音学上自成一家之言，而治方言考名物者亦实资此为钥牡者也。我于声韵之学不敢赞一辞，但愿为建功进一言，理论与应用相得而益彰，致力于“声明”愿仍无忘“风物”之检讨，将来再由音说到科斗，则于文字学民俗学二者同受其惠施矣。是为序。

中华民国二十三年十二月三十一日，记于北平苦茶庵中。

［附记］俞曲园先生《茶香室三抄》卷二十九云：

> 褚人获《坚瓠[1]集》云，禽名山和尚，即山鹊也。滇中有虫名水秀才。杨升庵《鹧鸪天》云，弹声林鸟山和尚，写字寒虫水秀才。水秀才状如蚊而大，游泳水面，池中多有之。按此虫所在皆有，不独滇中也。

水秀才即取其写字之意，但此非指豉虫[2]，乃是水马耳。

（五月二十四日记）

【锺校】

①“瓠”原作“匏”。

②“虫”原作“豆”。

《希腊的神与英雄与人》

我和郑振铎先生相识还在民国九年，查旧日记在六月十九日条下云，晚七时至青年会应社会实进会之招，讲日本新村的情形，这是第一次见面。随后大家商量文学结社事，十一月二十三日下午至万宝盖胡同耿济之先生宅议事，共到七人，这也是从日记里查出来的。二十八日晚作文学会宣言一篇，交伏园。这些事差不多都已忘记了，日前承上海市通志馆寄来期刊，在《上海的学艺团体》一文中看见讲到文学研究会，并录有那篇宣言，这才想了起来，真不胜今昔之感。那宣言里说些什么？这十多年来到底成就了些什么？我想只有上帝知道。好几年前我感到教训之无用，早把小铺关了门，已是和文学无缘了。郑先生一直往前走，奋斗至今，假如文坛可以比作战场，那么正是一员老将了，这是我所十分佩服的，因为平常人多佩服自己所缺少的那种性格。但是郑先生和我有一种共通的地方，便是对于神话特别是希腊神话的兴趣。这恐怕不是很走运的货色，但兴趣总是兴趣，自然会发生出来，有如烟酒的爱好，也难以压得住的。不过我尽是空口说白话，郑先生却着实写出了几部书，这又是一个很大的差异了。

我爱希腊神话，也喜欢看希腊神话的故事。庚斯莱的《希腊英雄》，霍桑的《奇书》，都已是古典了，弗来则的《戈耳共的头》稍为别致，因为这是人类学者的一种游艺，劳斯的《古希腊的神与英雄与人》亦是此类作品之一。劳斯（W. H. D. Rouse）的著述我最初见到的是现代希腊小说集译本，名曰《在希腊岛》，还是一八九七年的出版，那篇引言写得很好，我曾经译了出来。他又编订过好些古典，这回我所得到的是他的新著，一九三四年初版，如书名所示是一册希腊神话故事集，计五分四十五章，是讲给十一二岁的儿童们听过的。我喜欢这册书，因为如说明所云，著者始终不忘记他是一个学人，也不让我们忘记他是一个机智家与滑稽家。所以这书可以娱乐各时代的儿童，从十岁至八十岁。我们只看他第一分的前六章，便碰着好些有意思的说话，看似寻常，却极不容易说得那么有兴趣。如第一章讲万物的起源，述普洛美透斯造人云：

他初次试造的用四脚爬了走，和别的动物一样，而且也像他们有一条尾巴，这正是一个猴子。他试作了各种的猴子，有大有小，直到后来他想出方法使那东西站直了。随后他割去尾巴，又把两手的大拇指拉长了，使它往里面弯。这似乎是一件小事情，但是猴子的手与人的差异就全在这里，你假如试把大拇指与第二指缚在一起，你就会知道许多事都做不来了。你如到博物馆去一看人的骨骼，你可以看出你在那地方有一个小尾巴，至少是尾巴骨，这便是普洛美透斯把它割去后所馀留的。

第三章里讲到人类具备百兽的性质，著者又和他的小读者开玩笑道："我常看见小孩们很像那猴子，就只差那一条尾巴。"第二章说诸神，克洛诺斯吞了五个自己的儿女，第六个是宙斯，他的母亲瑞亚有点舍不得了，据说是想要个小娃子玩玩，便想法子救他：

她拿了一块和婴孩同样大小的石头，用襁褓包裹好了，递给克洛诺斯当作最后的孩子。克洛诺斯即将石头吞下肚去，很是满足了。这实在是一件很容易办的事，因为一定那神人们也正如希腊的母亲一样地养她们的小孩，她们用一条狭长的布把小孩缠了又缠，直到后来像是一个蚕蛹，或是一颗长葡萄干，顶上伸出小孩的那个脑袋瓜儿。

第六章讲宙斯的家庭，有云：

我不知道谁管那些烹调的事，但是假如阿林坡斯山也像希腊的人①家一样的，那么这总是那些女神们所管的罢。

这与上面所说意思有点相近。第三章讲普洛美透斯与宙斯的冲突，诸神造成了那个女人班陀拉，差人送去蛊惑普洛美透斯的兄弟厄比美透斯：

她做了他的妻子，她就是这地上一切女人的母亲，对于男子那女人是一祸亦是一福，因为她们是美丽可爱，却也满是欺诈。自然，这是在那很早的时候，后来她们也变好起来了，正和男人一样。

班陀拉打开那忧患的匣子这是太有名的故事了，著者在这里也叙述得很有趣，不过这不是匣子而是一个瓶，里边的种种忧患乃是人类的恩人普洛美透斯收来封镇着的：

她很是好奇，想要知道那大瓶子是怎么的。她问道，丈夫，那瓶子里是什么呀？你没有打开过，取出谷子或是油来，或者我们用的什么东西。厄比美透斯说道，亲爱的，这不是你管的事。那是我哥哥的，他不喜欢别人去乱动它。班陀拉假装满足了的样子，却是等着，一到厄比美透斯离了家，她就直奔向瓶子去，拿开那个盖子。

这结果是大家预料得到的，什么凶的坏的东西都像苍蝇黄蜂似的飞出去了，赶紧盖好只留得希望在里边，这里很有教训的机会，但是著者只说道："到得普洛美透斯回来看见这些情形的时候，他的兄弟所能说的只是这一句话道，我是多么一个傻子！"写的很幽默也是很艺术的，不过这是我自己的偏见，大抵未必可靠罢？

可喜别国的小孩子有好书读，我们独无。这大约是不可免的。中国是无论如何喜欢读经的国度，神话这种不经的东西自然不在可读之列。还有，中国总是喜欢文以载道的。希腊与日本的神话纵美妙，若论其意义则其一多是仪式的说明，其他又满是政治的色味，当然没有意思，这要当作故事听，又要讲的写的好，而在中国却偏偏都是少人理会的。话虽如此，郑先生的著述出来以后情形便不相同了。《取火者的逮捕》是郑先生的创作，可以算是别一问题，好几年前他改写希腊神话里的恋爱故事为一集，此外还有更多的故事听说就将出版，这是很可喜的一件事，中国的读者不必再愁没有好书看了。郑先生的学问文章大家知道，我相信这故事集不但足与英美作家竞爽，而且还可以打破一点国内现今乌黑的鸟空气，灌一阵新鲜的冷风进去。这并不是我戏台里喝采的敷衍老朋友的勾当，实在是有真知灼见，原书具在，读者只要试看一看，当知余言为不谬耳。

（民国二十四年一月二十八日，于北平苦茶庵）

【锺校】

①“人”原作“大”。

《画廊集》序

说到画廊，第一令人想起希腊哲人中间的那画廊派，即所谓斯多噶派（Stoikoi）是也。他们的师父是从吉地恩来的什农（Zenon），因为在亚坡隆庙的画廊（Stoa poikilē）间讲学，故得此名。吉地恩属于拘布洛斯，也是爱神亚孚洛迭德的治下，这位老师却跑到多猫头鹰的雅典去侍奉智慧，实在是很可佩服的。这派主张顺应自然的生活，而人有理性，有自然的幸福的生活，即在具备合理的德性，由聪明以及勇敢中庸公平，达到宁静无欲的境地。忘记是谁了，有一个西洋人说过，古代已有斯多噶派伊壁鸠鲁派那样的高尚的道德宗教，胜过基督教多矣，可惜后来中绝了。本来我对于希腊之基督化很有一种偏见，觉得不喜欢，画廊派的神灭论与其坚苦卓绝的风气[①]却很中我的意，但是老实说他们的消灭也是不可免的，因为他们似乎太是为贤者说法了，而大众所需要的并不是这些，乃正是他们所反对的烦恼（Pathos），即一切乐、欲、忧、惧是也。所以无论精舍书院中讲的什么甚深妙义，结果总只是几个人的言行与几卷书之遗留，大众还是各行其是，举行亚陀尼斯、迭阿女索斯、耶稣等再生的神之崇拜，各样地演出一部迎春的古悲剧，先号咷而后笑。这种事情原也可以理解，而且我再说一遍，这是无可免的，画廊派之死亦正是自然的吧，不过，这总值得我们时时的想起，他们的思想与生活也有很多可以佩服的地方。

其次因说到画廊而想起的是张挂着许多字画的那画棚。新近恰好是旧历乙亥的新年，这二十多天里北平市上很是热闹，正与半夜所放爆仗之多为正比例，厂甸摆出好多好多的摊，有卖珠宝、古董的，也有卖风筝、空钟、倒拽气、糖壶卢的，有卖书籍的书摊，又有卖字画的用芦席盖成的大画棚。今年的芦席棚实在不少，比去年恐怕总要多过一半，可以说从师范大学门口一直盖到和平门外的铁路边吧。虽然我今年不曾进去窥探，从前却是看过的，所以知道些里边的情形。老老实实的说，我对于字画的好坏不曾懂得一毫分，要叫我看了这些硬加批评，这有如遇见没有学过的算学难题，如乱答要比曳白更为出丑。这怎么办呢？其实这也没有什么，因为我不懂得，那么除不说外也实在别无办法。我说知道的只是云里边挂满了字或画而已，里边当然有些真的，不过我们外行看不出，其假的自然是不很好，反正我总是不想买来挂，所以也就不大有关系。还有一种不同的画棚，我看了觉得较有兴趣，只可惜在琉璃厂一带却不曾遇见。这就是卖给平民妇孺们的年画摊。普通的画都是真迹画，无论水墨或着色，总之是画师亲笔画成，只此一张别无分出，年画则是木版画，而且大抵都着色，差不多没有用水墨画的，此二者很不相同之一点也。

世界上所作版画最精好的要算日本。江户时代民众玩弄的浮世绘至今已经成为珍物，但其画工雕工印工们的伎俩也实在高明，别人不易企及。中国康熙时的所谓姑苏画制作亦颇精工，本国似已无存，只在黑田氏编的《支那古板画图录》上见到若干，唯比浮世绘总差一筹耳。日本的民间画师画妓女，画戏子，画市井风俗，也画山水景色，但绝无抽象或寓意画，这是很特别的一件事。《古板画图录》的姑苏画里却就有好些寓意画，如五子登科、得胜封侯等，这与店号喜欢用吉利字样一样，可以说是中国人的一种脾气，也是文以载道的主义的表现吧？在我们乡间这种年画只叫作“花纸”，制作最好的是立幅的《大橱美女》，普通都贴在衣橱的门上，故有此称，有时画的颇有姿媚，虽然那菱角似的小脚看了讨厌，不过此是古已有之，连唐伯虎的画里也是如此了。但是那些故事画更有生气，如《八大锤》《黄鹤楼》等戏文，《老鼠嫁女》等童话，幼时看了很有趣，这些印象还是留着。用的纸大约是上过矾的连史，颜色很是单纯，特别是那红色不知道是什么东西，涂在纸上少微发亮，又有点臭气，我们都称它作猪血，实在恐不尽然。现在的花纸怎么样了呢，我不知道，恐怕纸改用了洋纸，印也改用了石印了吧，这是改善还是改恶，我也不很明白，但是我个人总还是喜欢那旧式的花纸的。花纸之中我又喜欢《老鼠嫁女》，其次才是《八大锤》，至于寓意全然不懂，譬如松树枝上蹲着一只老活猻，枝下挂着一个大黄蜂窠，我也只当作活猻和黄蜂窠看罢了，看看又并不觉得有什么好玩。自然，标榜风雅的艺术画在现今当为志士们所斥弃了，这个本来我也不懂得，然而民间画里那画以载道的画实在也难以佩服，画固不足观，其所表示者亦都是士大夫的陈腐思想也。

从希腊的画廊派哲人说起，说到琉璃厂的卖字画的席棚，又转到乡下的花纸，简直是乱跑野马，一点没有头绪，而我所要说的实在又并不是这些，乃是李洸岑先生的文集《画廊集》耳。洸岑在集子里原有一篇谈年画的文章，而其坚苦卓绝的生活确也有点画廊派的流风，那么要把上文勾搭过去似亦未始不可以，反正天地万物没有绝无关系的，总可说得通，只看怎么说法。话虽如此，我究竟不是在乱扯做策论，上边这趟野马不肯让它白跑，仍旧要骑了去拜客的。我很主观的觉得洗岑写文章正是画廊派摆画摊，这是一件难事情。画廊派的思想如上边说过太为贤者说法，是不合于一般人的脾胃的，不但决做不成群众的祭师，便是街头讲道理也难得一个听客。至于年画乃是要主顾来买的，其制作更大不易，我们即使能为妇孺画《老鼠嫁女》以至《八大锤》，若挂印封侯、时来福凑这种厌胜画，如何画得好乎？但是画棚里所最多行销的却正是此厌胜画也，盖文以载道的主义为中国上下所崇奉，咒语与口号与读经，一也，符箓与标语与文学，二也，画则其图说也。吾见洗岑集中没有厌胜文，知其不能画此同类的画，画廊的生意岂能发达乎，虽然，洗岑有那种坚苦卓绝的生活与精神，画或文之生意好与不好亦自不足论也，我的这篇小文乃不免为徒费的诡辩矣。

民国二十四年二月二十一日，记于北平。

【锺校】

①“风气”原作“气风”。

《现代作家笔名录》序

辑录前人别号的书，宋有徐光溥的《自号录》一卷。清葛万里有《别号录》九卷，却未见到。史梦兰的《异号类编》里第十二十三两卷为自表类，可以算在里边。近人陈氏编有《室名索引》，已行于世，若袁君之《现代作家笔名录》，则又别开生面而很有意思者也。

关于别号的发达变迁，说起来也很好玩。《异号类编》上史一经序云：

别号之兴大抵始于周秦之际。瑰奇之士不得志于时，放浪形骸，兀傲自喜，假言托喻，用晦其名。然而其人既有著述以自见，则闻于当时，传诸后世，其名虽晦，其号益彰，鬼谷鹖冠之流盖其著也。

明沈承有《即山集》，其《赠偶伯瑞序》有云：

近古有别号者，不过畸人韵士，实实眼界前

有此景，胸堂前有此癖，借湖山云树作美题目以拟话耳。即不然者，亦时人慕其风流，后人追其轶事，而村墟市巷，两两三三，信口指点，相传以为某子某翁某先生某居士，初非利齿儿可多啖得也。

上文所引，前者可以说是宋以前的情形，后者是明以前的情形吧。明清以来则如即山所说，“末叶浮薄，始成滥觞，而吴侬好事，更饮狂药”，结果便是：

每见岁时社腊，杯酒相喧，主宾杂坐，擎拳龋齿，曰桥曰楼，曰松曰竹，嘈嘈耳根，令人欲呕。

这里所说是市井小儿模拟风雅，而其实在动因还是在于一般俗文学之发达，自小说戏曲以至俗谣俳文莫不兴盛，作者各署别号，虽其时本为公开秘密，但人情难免拘于传统，唯正经文字始肯用真姓名耳。及今研究此类俗文学者对于别号的探讨还是一件难事，没有什么好的工具可以弄的清楚。到了近来情形又有改变，新闻杂志多了，作者也多起来，大抵都用别号，或者照新式即称为笔名。这个原因我从前在《谈虎集》里曾经分作三种：

其一最普通的是怕招怨。古人有言，怨毒之于人甚矣哉，现在更不劳重复申明。

其二是求变化。有些人担任一种定期刊的编辑，常要做许多文章，倘若永远署一个名字，未免要令读者觉得单调，所以多用几个别名把它变化一下。

其三是不求闻达。但是现在还得加上一条：

其四是化装。言论不大自由，有些人的名字用不出去，只好时常换，有如亡命客的化装逃难。也有所谓东瓜咬不着咬瓠子的，政治方面不敢说却来找文学方面的同行出气，这情形亦可怜悯，但其行径则有如暴客的化装吓人也。出版物愈多，这种笔名也就加多，而读者读得胡里胡涂，有时须去弄清楚了作者的本性，才能够了解他的意义。袁君编著笔名录，使读者可以参考，是极有用处的事，至于供编目者的利用，这在我不在图书馆办事过的人看来似乎倒①还在其次了。

中华民国二十四年三月十八日，记于北平。

【锺校】

①“倒”原作“到”。

半农纪念

七月十五日夜我们到东京，次日定居本乡菊坂町。二十日我同妻出去，在大森等处跑了一天，傍晚回寓，却见梁宗岱先生和陈女士已在那里相候。谈次陈女士说在南京看见报载刘半农先生去世的消息，我们听了觉得不相信，徐耀辰先生在座也说这恐怕是别一个刘复吧，但陈女士说报上记的不是刘复而是刘半农，又说北京大学给他照料治丧，可见这是不会错的了。我们将离开北平的时候，知道半农往绥远方面旅行去了，前后相去不过十日，却又听说他病死了已有七天了。世事虽然本来是不可测的，但这实在来得太突然，只觉得出于意外，惘然若失而外，别无什么话可说。

半农和我是十多年的老朋友，这回半农的死对于我是一个老友的丧失，我所感到的也是朋友的哀感，这很难得用笔墨纪录下来。朋友的交情可以深厚，而这种悲哀总是淡泊而平定的，与夫妇子女间沉挚激越者不同，然而这两者却是同样地难以文字表示得恰好。假如我同半农要疏一点，那么我就容易说话，当作一个学者或文人去看，随意说一番都不要紧。很熟的朋友却只作一整个的人看，所知道的又太多了，要想分析想挑选了说极难着手，而且褒贬稍差一点分量，心里完全明了，就觉得不诚实，比不说还要不好。荏苒四个多月过去了，除了七月二十四日写了一封信给半农的长女小蕙女士外，什么文章都没有写，虽然有三四处定期刊物叫我做纪念的文章，都谢绝了，因为实在写不出。九月十四日，半农死后整两个月，在北京大学举行追悼会，不得不送一副挽联，我也只得写这样平凡的几句话去：

十七年尔汝旧交，追忆还从卯字号；

廿馀日驰驱大漠[1]，归来竟作丁令威。

这是很空虚的话，只是仪式上所需的一种装饰的表示而已。学校决定要我充当致辞者之一，我也不好拒绝，但是我仍是明白我的不胜任，我只能说说临时想出来的半农的两种好处。其一是半农的真。他不装假，肯说话，不投机，不怕骂，一方面却是天真烂漫，对什么人都无恶意。其二是半农的杂学。他的专门是语音学。但他的兴趣很广博，文学美术他都喜欢，做诗，写字，照相，搜书，讲文法，谈音乐。有人或者嫌他杂，我觉得这正是好处，方面广，理解多，于处世和治学都有用，不过在思想统一的时代自然有点不合式。我所能说者也就是极平凡的这寥寥几句。

前日阅《人间世》第十六期，看见半农遗稿《双凤凰专斋小品文》之五十四，读了很有所感。其题目曰《记砚兄之称》，文云：

> 余与知堂老人每以砚兄相称，不知者或以为儿时同窗友也。其实余二人相识，余已二十七，岂明已三十三。时余穿鱼皮鞋，犹存上海少年滑头气，岂明则蓄浓髯，戴大绒帽，披马夫式大衣，俨然一俄国英雄也。越十年，红胡入关主政，北新封，《语丝》停，李丹忱捕，余与岂明同避菜厂胡同一友人家。小厢三楹，中为膳食所，左为寝室，席地而卧，右为书室，室仅一桌，桌仅一砚。寝，食，相对枯坐而外，低头共砚写文而已，砚兄之称自此始。居停主人不许多友来视，能来者余妻岂明妻而外，仅有徐耀辰兄传递外间消息，日或三四至也。时为民国十六年，以十月二十四日去，越一星期归，今日思之，亦如梦中矣。

这文章写得颇好，文章里边存着作者的性格，读了如见半农其人。民国六年春间我来北京，在《新青年》中初见到半农的文章，那时他还在南方，留下一种很深的印象，这是几篇《灵霞馆笔记》，觉得有清新的生气，这在别人笔下是没有的。现在读这遗文，恍然记及十七年前的事，清新的生气仍在，虽然更加上一点苍老与着实了。但是时光过得真快，鱼皮鞋子的故事在今日活着的人里只有我和玄同还知道吧，而菜厂胡同一节说起来也有车过腹痛之感了。前年冬天半农同我谈到蒙难纪念，问这是哪一天，我查旧日记，恰巧民国十六年中有几个月不曾写，于是查对《语丝》末期出版月日等等，查出这是在十月二十四，半农就说下回我们要大举请客来作纪念，我当然赞成他的提议。去年十月不知道怎么一混大家都忘记了，今年夏天半农在电话里还说起，去年可惜又忘记了，今年一定要举行。然而半农在七月十四日就死了，计算到十月二十四恰是一百天。

昔时笔祸同蒙难，菜厂幽居亦可怜。

算到今年逢百日，寒泉一盏荐君前。

这是我所作的打油诗，九月中只写了两首，所以在追悼会上不曾用，今见半农此文，便拿来题在后面。所云菜厂在北河沿之东，是土肥原的旧居，居停主人即土肥原的后任某少佐也，秋天在东京本想去访问一下，告诉他半农的消息，后来听说他在长崎，没有能见到。

还有一首打油诗，是拟近来很时髦的浏阳体的，结果自然是仍旧拟不像，其辞曰：

漫云一死恩仇泯，海上微闻有笑声。

空向刀山长作揖，阿旁牛首太狰狞。

半农从前写过一篇《作揖主义》，反招了许多人的咒骂。我看他实在并不想侵犯别人，但是人家总喜欢骂他，仿佛在他死后还有人骂。本来骂人没有什么要紧，何况又是死人，无论骂人或颂扬人，里边所表示出来的反正都是自己。我们为了交谊的关系，有时感到不平，实在是一种旧的惯性，倒还是看了自己反省要紧。譬如我现在来写纪念半农的文章，固然并不想骂他，就是空虚地说上好些好话，于半农了无损益，只是自己出乖露丑。所以我今日只能说这些闲话，说的还是自己，至多是与半农的关系罢了，至于目的虽然仍是纪念半农。半农是我的老朋友之一，我很悼惜他的死。在有些不会赶时髦结识新相好的人，老朋友的丧失实在是最可悼惜的事。

（民国二十三年十一月三十日，于北平苦茶庵记）

【锺校】

①“廿”原作“二十”。

隅卿纪念

隅卿去世于今倏忽三个月了。当时我就想写一篇小文章纪念他，一直没有能写，现在虽然也还是写不出，但是觉得似乎不能再迟下去了。日前遇见叔平，知道隅卿已于上月在宁波安厝，那么他的体魄便已永久与北平隔绝，真有去者日以疏之惧。陶渊明《拟挽歌辞》云：

向来相送人，各自还其家。

亲戚或馀悲，他人亦已歌。

何其言之旷达而悲哀耶。恐隅卿亦有此感，我故急急地想写了此文也。

我与隅卿相识大约在民国十年左右，但直到十四年我担任了孔德学校中学部的两班功课，我们才时常相见。当时系与玄同尹默包办国文功课，我任作文读书，曾经给学生讲过一部《孟子》《颜氏家训》和几卷《东坡尺牍》。隅卿则是总务长的地位，整天坐在他的办公室里，又正在替孔德图书馆买书，周围堆满了旧书头本，常在和书贾交涉谈判。我们下课后便跑去闲谈，虽然知道很妨害他的办公，可是也总不能改，除我与玄同以外还有王品青君，其时他也在教书，随后又添上了建功耀辰，聚在一起常常谈上大半天。闲谈不够，还要大吃，有时也叫厨房开饭，平常大抵往外边去要，最普通的是森隆，一亚一，后来又有玉华台。民十七以后移在宗人府办公，有一天夏秋之交的晚上，我们几个人在屋外高台上喝啤酒汽水谈天一直到夜深，说起来大家都还不能忘记，但是光阴荏苒，一年一年地过去，不但如此盛会于今不可复得，就是那时候大家的勇气与希望也已消灭殆尽了。

隅卿多年办孔德学校，费了许多的心，也吃了许多的苦。隅卿是不是老同盟会我不曾问过他，但看他含有多量革命的热血，这有一半盖是对于国民党解放运动的响应，却有一大半或由于对北洋派专制政治的反抗。我们在一起的几年里，看见隅卿好几期的活动，在“执政”治下有三一八时期与直鲁军时期的悲苦与屈辱，军警露刃迫胁他退出宗人府，不久连北河沿的校舍也几被没收，到了“大元帅”治下好像是疔疮已经肿透离出毒不远了，所以减少沉闷而发生期待，觉得黑暗还是压不死人的。奉军退出北京的那几天他又是多么兴奋，亲自跑出西直门外去看姗姗其来的山西军，学校门外的青天白日旗恐怕也是北京城里最早的一张吧。光明到来了，他回到宗人府去办起学校来，我们也可以去闲谈了几年。可是北平的情形愈弄愈不行，隅卿于二十年秋休假往南方，接着就是九一八事件，通州密云成了边塞，二十二年冬他回北平来专管孔德图书馆，那时复古的浊气又已弥漫国中，到了二十四年春他也就与世长辞了。孔德学校的教育方针向来是比较地解放的向前的，在现今的风潮中似乎最难于适应，这是一个难问题，不过隅卿早死了一年，不及见他亲手苦心经营的学校里学生要从新男女分了班去读经做古文，使他比在章士钊刘哲时代更为难过，那也可以说是不幸中之大幸了罢。

隅卿的专门研究是明清的小说戏曲，此外又搜集四明的明末文献。末了的这件事是受了清末的民族革命运动的影响，大抵现今的中年人都有过这种经验，不过表现略有不同，如七先生写到清乾隆帝必称曰弘历亦是其一。因为这些小说戏曲从来是不登大雅之堂的，所以隅卿自称曰不登大雅文库，后来得到一部二十回本的《平妖传》，又称平妖堂主人，尝复刻书中插画为笺纸，大如册页，分得一匣，珍惜不敢用，又别有一种画笺，似刻成未印，今不可得矣。居南方时得话本二册，题曰《雨窗集》《欹枕集》，审定为清平山堂同型之本，旧藏天一阁者也，因影印行世，请兼士书额云雨窗欹枕室，友人或戏称之为雨窗先生。隅卿用功甚勤，所为札记及考订甚多，平素过于谦退不肯发表，尝考冯梦龙事迹著作甚详备，又抄集遗文成一卷，屡劝其付印亦未允。吾乡朱君得冯梦龙编《山歌》十卷，为《童痴二弄》之一种，以抄本见示令写小序，我草草写了一篇，并嘱隅卿一考证之，隅卿应诺，假抄本去影写一过，且加丹黄，乃亦未及写成，惜哉。龙子猷殆亦命薄如纸不亚于袁中郎，竟不得隅卿为作佳传以一发其幽光耶。

隅卿行九，故尝题其札记曰《劳久笔记》。马府上的诸位弟兄我都相识，二先生幼渔是国学讲习会的同学，民国元年我在浙江教育司的楼上“卧治”的时候他也在那里做视学，认识最早，四先生叔平，五先生季明，七先生太玄居士，也都很熟，隅卿因为孔德学校的关系，见面的机会所以更特别的多。但是隅卿无论怎样地熟习，相见还是很客气地叫启明先生，这我当初听了觉得有点局促，后来听他叫玄同似乎有时也是如此，就渐渐习惯了，这可以见他性情上拘谨的一方面，与喜谈谐的另一方面是同样地很有意思的。今年一月我听朋友说，隅卿因怕血压高现在戒肉食了，我笑说道，他是老九，这还早呢。但是不到一个月光景，他真死了，二月十七日蓝少铿先生在东兴楼请吃午饭，在那里遇见隅卿幼渔，下午就一同去看厂甸，我得了一册木板的《尴书》，此外还有些黄虎痴的《湖南风物志》与王西庄的《练川杂咏》等，傍晚便在来薰阁书店作别。听说那天晚上同了来薰阁主人陈君去看戏，第二天是阴历上元，他还出去看街上的灯，一直兴致很好，到了十九日下午往北京大学去上小说史的课，以脑出血卒。当天夜里我得到王淑周先生的电话，同丰一雇了汽车到协和医院去看，已经来不及了。次日大殓时又去一看，二十一日在上官菜园观音院接三，送去一副挽联，只有十四个字：

月夜看灯才一梦，

雨窗欹枕更何人。

中年以后丧朋友是很可悲的事，有如古书，少一部就少一部，此意惜难得恰好地达出，挽联亦只能写得像一副挽联就算了。

（二十四年五月十五日，在北平）

与谢野先生纪念

在北平的报纸上见到东京电报，知道与谢野宽先生于三月二十六日去世了。不久以前刚听见坪内逍遥先生的噩耗，今又接与谢野先生的讣报，真令人不胜感叹。

我们在明治四十年前后留学东京的人，对于明治时代文学大抵特别感到一种亲近与怀念。这有种种方面，但是最重要的也就只是这文坛的几位巨匠，如以《保登登几寿》（义曰杜鹃）为本据的夏目漱石、高滨虚子，《早稻田文学》的坪内逍遥、岛村抱月，《明星》，《寿波留》（义曰昴星），《三田文学》的森鸥外、上田敏、永井荷风、与谢野宽诸位先生。三十年的时光匆匆的过去，大正昭和时代相继兴起，各自有其光华，不能相掩盖，而在我们自己却总觉得少年时代所接触的最可留恋，有时连杂志也仿佛那时看见的最好，这虽然未免有点近于笃旧，但也是人情之常吧。我因为不大懂得戏剧，对于坪内先生毕生的业绩不曾很接近，其他各位先生的文章比较的多读一点，虽然外国文学里韵文原来不是容易懂的，我关于这些又只是一知半解而已。不过大约因为文化相近的缘故，我总觉得日本文学于我们中国人也比较相近，如短歌俳句以及稍富日本趣味的散文与小说也均能多少使我们了解与享受，这是我们想起来觉得很是愉快的。可是明治时代早已成为过去，那些巨匠也逐渐的去世，现今存在的已只有两三位先生，而与谢野先生则是最近离我们而去的一位了。

与谢野先生夫妻两位自创立新诗社后在日本诗歌上所留下的功绩，那是文学史上明显的事实，不必赘述，也不是外国的读者所能妄加意见的。但是我对于与谢野先生，在普通对于自己所钦佩的文学者之感激与悼叹外，还特别有一种感念，这便是关于与谢野先生日本语原研究的事业的。十年前在与谢野先生所印行的《日本古典全集》中看见狩谷掖斋全集，其第三卷内有一篇《转注说》，上边加上一篇与谢野先生的《转注说大概》，其末节有云：

远自有史以前与支那大陆有所交涉的我们日本人，在思想上，言语文字文章上，其他百般文化上，与彼国的言语文字典籍有最深切的关系。

特别是在像自己这样要在支那各州的古音里求到国语的原委的一个学徒，这事更是痛切地感到，但这姑且不谈，就是为那研究东方的史学哲学文学想要了知本国的传统文化而溯其渊源的青年国民计，支那字原之研究也是必要，这正如欲深究欧洲的学问艺术宗教及其他百般文物者非追求拉丁希腊的言语不可。但是在明治以来倾向于浅薄的便宜主义的国情上，遂有提倡汉字的限制与略字的使用，强制用那无视语原学的拼法这种现象发生，甚属遗憾。今见掖斋所遗的业绩，自己不得不望有继承这些先哲之学术的努力的挚实的后学之辈出了。

与谢野先生的语原研究的大业据报上说尚未完成，我们也只在《冬柏》等上边略闻绪论，与松村任三先生的意见异同如何亦非浅学所能审，此类千秋事业成就非易，固可惋惜，但我所觉得可以尊重者还是与谢野先生的这种努力，虽事业未成而意义则甚重大也。中日两国文化关系之深密诚如与谢野先生所言，因为这个缘故，我们中国人要想了解日本的文学艺术固然要比西洋人更为容易，就是研究本国的文物也处处可以在日本得到参照比较的资料，有如研究希腊古文化者之于罗马，此与上文所说正为表里。与谢野先生晚年的事业已不仅限于文艺范围，在学问界上有甚深意义，其所主张不特在日本即在中国亦有同样的重要，使两国人知道有互相研究与理解之必要，其关系决非浅鲜。这回与谢野先生的长逝所以不但是日本文坛的损失，还是失了中日学问上的一个巨大的连锁，我们对于与谢野先生也不单是为了少时读书景仰的缘故，还又为了中国学界的丧失良友而不能不加倍地表示悼惜者也。

明治四十年顷在东京留学，只诵读与谢野先生夫妻两位的书，未得一见颜色。民国十四五年时与谢野先生来游中国，值华北有战事，至天津而止，不曾来北京。去年夏天我到东京去，与谢野先生在海滨避暑，又未得相见，至今忽闻讣报，遂永不得见矣，念之怃然，辄写小文，聊为纪念。

（中华民国二十四年四月三日，于北平）

关于命运

我近来很有点相信命运。那么难道我竟去请教某法师某星士，要他指点我的流年或终身的吉凶么？那也未必。这些要知道我自己都可以知道，因为知道自己应该无过于自己。我相信命运，所凭的不是吾家易经神课，却是人家的科学术数。我说命，这就是个人的先天的质地，今云遗传。我说运，是后天的影响，今云环境。二者相乘的结果就是数，这个字读如数学之数，并非虚无飘渺的话，是实实在在的一个数目，有如从甲乙两个已知数做出来的答案，虽曰未知数而实乃是定数也。要查这个定数须要一本对数表，这就是历史。好几年前我就劝人关门读史，觉得比读经还要紧还有用，因为经至多不过是一套准提咒罢了，史却是一座孽镜台，他能给我们照出前因后果来也。我自己读过一部《纲鉴易知录》，觉得得益匪浅，此外还有《明季南北略》和《明季稗史汇编》，这些也是必读之书，近时印行的《南明野史》可以加在上面，盖因现在情形很像明季也。

日本永井荷风著《江户艺术论》十章，其《浮世绘之鉴赏》第五节论日本与比利时美术的比较，有云：

我反省自己是什么呢，我非威耳哈仑[①](Verhaeren)似的比利时人而是日本人也，生来就和他们的运命及境遇迥异的东洋人也。恋爱的至情不必说了，凡对于异性之性欲的感觉悉视为最大的罪恶，我辈即奉戴着此法制者也。承受“胜不过啼哭的小孩和地主”的教训的人类也，知道“说话则唇寒”的国民也。使威耳哈仑感奋的那滴着鲜血的肥羊肉与芳醇的蒲桃酒与强壮的妇女的绘画，都于我有什么用呢？呜呼，我爱浮世绘。苦海十年为亲卖身的游女的绘姿使我泣。凭倚竹窗茫然看着流水的艺妓的姿态使我喜。卖宵夜面的纸灯寂寞地停留的河边的夜景使我醉。雨夜啼月的杜鹃，阵雨中散落的秋天木叶，落花飘风的钟声，途中日暮的山路的雪，凡是无常无告无望的，使人无端嗟叹此世只是一梦的，这样的一切东西，于我都是可亲，于我都是可怀。

又第三节中论江户时代木板画的悲哀的色彩云：

这暗示出那样暗黑时代的恐怖与悲哀与疲劳，在这一点上我觉得正如闻娼妇啜泣的微声，深不能忘记那悲苦无告的色调。我与现社会相接触，常见强者之极其强暴而感到义愤的时候，想起这无告的色彩之美，因了潜存的哀诉的旋律而将暗黑的过去再现出来，我忽然了解东洋固有的专制的精神之为何，深悟空言正义之不免为愚了。希腊美术发生于以亚坡隆为神的国土，浮世绘则由与虫豸同样的平民之手制作于日光晒不到的小胡同的杂院里。现在虽云时代全已变革，要之只是外观罢了。若以合理的眼光一看破其外皮，则武断政治的精神与百年以前毫无所异。江户木板画之悲哀的色彩至今全无时间的间隔，深深沁入我们的胸底，常传亲密的私语者，盖非偶然也。

荷风写此文时在大正二年（一九一三）正月，已发如此慨叹，二十年后的今日不知更怎么说，近几年的政局正是明治维新的平反，“幕府”复活，不过是一阶级而非一家系的，岂非建久以来七百馀年的征夷大将军的威力太大，六十年的尊王攘夷的努力丝毫不能动摇，反而自己没落了么？

以上是日本的好例[②]，我们中国又如何呢？我说现今很像明末，虽然有些热心的文人学士听了要不高兴，其实是无可讳言的。我们且不谈那建夷，流寇，方镇，宦官以及饥荒等，只说八股和党社这两件事罢。清许善长著《碧声吟馆谈麈》卷四有论八股一则，中有云：

功令以时文取士，不得不为时文。代圣贤立言，未始不是，然就题作文，各肖口吻，正如优孟衣冠，于此而欲征其品行，觇其经济，真隔膜矣。卢抱经学士云，时文验其所学而非所以为学也，自是通论。至景范之言曰，秦坑儒不过四百，八股坑人极于天下后世，则深恶而痛疾之也。明末东林党祸惨酷尤烈，竟谓天子可欺，九庙可毁，神州可陆沉，而门户体面决不可失，终至于亡国败家而不悔，虽曰气运使然，究不知是何居心也。

明季士大夫结党以讲道学，结社以作八股，举世推重，却不知其于国家有何用处，如许氏说则其为害反是很大。明张岱的意见与许氏同，其《与李砚翁书》云：

夫东林自顾泾阳讲学以来，以此名目祸我国家者八九十年，以其党升沉用占世数兴败，其党盛则为终南之捷径，其党败则为元祐之党碑，风波水火，龙战于野，其血玄黄，朋党之祸与国家相为终始。盖东林首事者实多君子，窜入者不无小人，拥戴者皆为小人，招来者亦有君子。……东林之中，其庸庸碌碌者不必置论，如贪婪强横之王图，奸险凶暴之李三才，闯贼首辅之项煜，上笺劝进之周钟，以至窜入东林，乃欲俱奉之以君子，则吾臂可断决不敢徇情也。东林之尤可丑者，时敏之降闯贼曰，吾东林时敏也，以冀大用。鲁王监国，蕞尔小朝廷，科道任孔当辈犹曰，非东林不可进用，则是东林二字直与蕞尔鲁国及汝偕亡者。

明朝的事归到明朝去，我们本来可以不管，可是天下事没有这样如意，有些痴颠恶疾都要遗传，而恶与癖似亦不在例外，我们毕竟是明朝人的子孙，这笔旧账未能一笔勾消也。——虽然我可以声明，自明正德时始迁祖起至于现今，吾家不曾在政治文学上有过什么作为，不过民族的老账我也不想赖，所以所有一切好坏事情仍然担负四百兆分之一。

我们现在且说写文章的。代圣贤立言，就题作文，各肖口吻，正如优孟衣冠，是八股时文的特色，现今有多少人不是这样的？功令以时文取士，岂非即文艺政策之一面，而又一面即是文章报国乎？读经是中国固有的老嗜好，却也并不与新人不相容，不读这一经也该读别一经的。近来听说有单骂人家读《庄子》《文选》的，这必有甚深奥义，假如不是对人非对事。这种事情说起来很长，好像是专找拿笔干的开玩笑，其实只是借来作个举一反三的例罢了。万物都逃不脱命运。我们在报纸上常看见枪毙毒犯的新闻，有些还高兴去附加一个照相的插图。毒贩之死于厚利是容易明了的，至于再吸犯便很难懂，他们何至于爱白面过于生命呢？第一，中国人大约特别有一种麻醉享受性，即俗云嗜好。第二，中国人富的闲得无聊，穷的苦得不堪，以麻醉消遣。有友好之劝酬，有贩卖之便利，以麻醉玩弄。卫生不良，多生病痛，医药不备，无法治疗，以麻醉救急。如是乃上瘾，法宽则蔓延，法严则骈诛矣。此事为外国或别的殖民地所无，正以此种癖性与环境亦非别处所有耳。我说麻醉享受性，殊有杜撰生造之嫌，此正亦难免，但非全无根据，如古来的念咒画符读经惜字唱皮黄做八股叫口号贴标语皆是也，或以意，或以字画，或以声音，均是自己麻醉，而以药剂则是他力麻醉耳。考虑中国的现在与将来的人士必须要对于他这可怕的命运知道畏而不惧，不讳言，敢正视，处处努力要抓住它的尾巴而不为所缠绕住，才能获得明智，死生吉凶全能了知，然而此事大难，真真大难也。

我们没有这样本领的只好消极地努力，随时反省，不能减轻也总不要去增长累世的恶业，以水为鉴，不到政治文学坛上去跳旧式的戏，庶几下可对得起子孙，虽然对于祖先未免少不肖，然而如孟德斯鸠临终所言，吾力之微正如帝力之大，无论怎么挣扎[3]不知究有何用？日本失名的一句小诗云：

虫呵虫呵，难道你叫着，“业”便会尽了么？

（二十四年四月）

【锺校】

①“仑”原作“伦”，从下文改。

②“以上是日本的好例”一句原在上段之末尾。

③“扎”原作“札”。

关于命运之二

前几天我写了一篇《关于命运》，上海方面就有人挑剔字眼。我说：

> 我近来很有点相信命运。那么难道我竟去请教某法师某星士，要他指点我的流年或终身的吉凶么？那也未必。这些要知道我自己都可以知道，因为知道自己应该无过于自己。我相信命运，所凭的不是吾家易经神课，却是人家的科学术数。我说命，这就是个人的先天的质地，今云遗传。我说运，是后天的影响，今云环境。

挑剔者乃曰：

> 在历史上感觉到自己的迟暮的人，总是自觉地或不自觉地要躲在神秘中去寻觅自己的安慰，像求神拜佛呀，崇拜性灵呀，相信命运呀，总逃不开了这些圈套。

这里，我不知是他们的故意“歪曲”呢，还是真看不懂我那简单的白话文？奥国的孟特耳不幸晚出，他的学说得不到恩格尔斯的批准，中国新人碍难承认遗传说这也可以原谅的，但是遗传到底是不是像求神拜佛的一样神秘，我想这一点也总该知道吧。我又引明张岱的与人书云：

鲁王监国，蕞尔小朝廷，科道任孔当辈犹曰，非东林[1]不可进用，则是东林二字直与蕞尔鲁国及汝偕亡者。

挑剔者乃曰：

甚至当时为人民抗清力量所支持下的鲁王监国，曾被那没有心肝的人斥为蕞尔小朝廷，也居然得到了知堂先生的附和。

这里，他们似乎也不知道“那没有心肝的人”原来是明末遗民张岱。据邵廷采《思复堂集》“明遗民所知传”云：

性承忠孝，长于史学。丙戌后屏居卧龙山之仙室，短檐危壁，沉淫于有明一代纪传，名曰《石匮藏书》，以拟郑思肖之《铁函心史》也，至于废兴存亡之际，孤臣贞士之操，未尝不感慨流连陨涕三致意也。

岱《自为墓志铭》云：

五羖大夫，焉肯自鬻，空学陶潜，枉希梅

福，必也寻三外野人，方晓我之衷曲。

照这样看来，其有无心肝，大约就是不去寻郑所南来问也该可以明白吧。我不知道他们何所根据而断定其为没有心肝也。蕞尔，查《辞通》卷十二云，“小貌”，尔者盖是语助辞，并非尔汝之尔。小朝廷一语曾有胡铨说过，系指南宋，论者不曾以为大不敬，然则以指鲁王浙江一区，似亦不能说怎么不对。今便断为说者没有心肝，如不是错看“尔”字，当是有意歪曲，如绍兴师爷之舞文周纳耳。至于张岱与鲁王的关系在《梦[2]忆》中曾经说及，可以参考，据《砚云甲编》本第二则云：

鲁王播迁至越，以先父相鲁先王，幸旧臣第。岱接驾。无所考仪注，以意为之，踏脚四扇，氍毹藉之，高厅事尺，设御座，席七重，备山海之供。鲁王至，冠翼善，玄色蟒袍，玉带朱玉绶。观者杂沓，前后左右用梯用台用凳，环立看之，几不能步，剩御前数步而已。传旨，勿辟人。岱进行君臣礼，献茶毕安席，再行礼，不送杯箸，示不敢为主也，趋侍坐。……二鼓转席，临不二斋梅花书屋，坐木犹龙，卧岱书榻，剧谈移时。出登席，设二席于御座傍，命岱与陈洪绶侍饮，谐谑欢笑如平交。睿量弘，已进酒半斗矣，大犀觥一气尽，陈洪绶不胜饮，呕哕御座傍。寻设一小几，命洪绶书箑，醉捉笔不起，止之。……起驾，转席后又进酒半斗，睿颜微酡，进辇，两书堂官掖之不能步。岱送至闾外，命书堂官再传旨曰，爷今日大喜，爷今日喜极。君臣欢洽脱略至此，真属异数。

张岱与鲁王君臣欢洽脱略至此，但是对于结党营私的任孔当辈仍要痛骂，正如那侍饮大醉的陈洪绶之要痛骂误国殃民的官军一样。陈洪绶即老莲，他的画至今很有名，也是瓜瓜叫的明遗民，不是没有心肝的人，在他的《宝纶堂集》末有《避难诗》一卷，丙戌除夕自叙，其《作饭行》一篇序中有云，“今小民苦官兵淫杀有日矣”，诗末四联云：

鲁国越官吏，江上逍遥师，
避敌甚喂[3]虎，篦民若养狸。
时日曷丧语，声闻于天知，
民情即天意，兵来皆安之。

又《官军行》末四语云：

卿今冒饷欲未充，驾言输饷缚富翁。
卿先士卒抄村落，分明教我亦淫掠。

又《搜牢行》中有云：

长官亦如贼所为，人则何赖有此国。

我想在这里可以不必再加说明，只请读者自己去看这种官与兵是不是该痛骂。张陈皆明遗民，与鲁王又有这种关系，而使二人都忍不住说及汝偕亡或时日曷丧的话，岂不哀哉，当时的情形也就可想而知了。

前回我说现今很像明末，但这其间自然也有些不同，现在的人总比三百年前的人要聪明一点了吧。如断定明遗民张岱是没有心肝的人，一也；根据我所引的永井荷风的话，断定是前期年青人的反对黑暗之英雄的悲叫，二也。荷风原已说过：

> 我反省自己是什么呢，我非威耳哈伦似的比利时人而是日本人也，生来就和他们的运命及境遇[4]迥异的东洋人也。

在原论第一节中又曾云：

> 余初甚愤且悲。但是幸而此悲愤绝望乃成为使余入于日本人古来遗传性的死心之无差别观。不见上野的老杉乎，默默不语亦不诉说，独知自己的命数，从容地渐就枯死耳。无情的草木岂不远胜有情的人类耶。
>
> 我如今才知道现代我们的社会乃是现代人的东西，决非我等所得容喙。我于此对于古迹的毁弃与时代的丑化不复引起何等愤慨，觉得此反足以供给最上的讽刺的滑稽材料，故一变而成为最

有诡辩的兴味之中心焉。

死心一语原文作“谛”，本是审义，因审谛事理而死心断念，其消极[5]过于绝望，是为今通行的第二义，其用此字盖与佛教四谛有关亦未可知。永井荷风的“前期年青人”的叫声如往别的书里去找或者也有一句二句，但在我所引的这篇文章里就想利用，实在未免太聪明一点了。

近来文坛上的“批评”的方法与手段的确大有进步了，兹姑不列举。总之他们的态度是与任孔当辈一鼻孔出气的。这也正是中国人的遗传性——或是命运吧。诗云：

虫呵虫呵，难道你叫着，“业”便会尽了么？

【锺校】

①“林”原作“孔”。

②“梦”原作“忆”。

④“遇”原作“过”。

⑤“极”原作“积”。

【鄢校】

③《夜读抄·甲行日注》引此作“畏”。

弃文就武

我是江南水师出身的。我学海军还未毕业得到把总衔的时候便被派往日本留学，但是在管轮班里住过六个年头，比我以后所住的任何学校为久，所以在我没有专门职业的专门中，计算起来还要算是海军。历来海军部中有我的好些老师，同学少年也多不贱，部长司长也都有过，科长舰长更不必说，有的还已成为烈士，如在青岛被张宗昌所杀害的前渤海舰队司令吴椒如君，便是我的同班老友，大家叫他作“书店老板”的。我自己有过一个时候想弄文学，不但喜读而且还喜谈，差不多开了一间稻香村的文学小铺，一混几年，不惑之年倏焉已至，忽然觉得不懂文学，赶快下匾歇业，预备弃文就武。可是不相干，这文人的名号好像同总长大帅一样，在下野之后也还是粘在头上，不容易能够或者是肯拿下来的。我的当然不是我而是人家不肯让我拿掉。似乎文人必定是终身的职务，而其职务则是听权威的分付去做赋得的什么文学。我的弃文于是大犯其罪，被一班维新的朋友从年头直骂到年尾。现在是民国二十三年的年终了，我想该不该来清算一下。仔细想过，还是决定拉倒。第一，人家以为我不去跟着呐喊，他们的大事业便不能成，那是太看得起我，正如说斯人不出如苍生何，我岂敢当，更何敢生气？第二，这骂于我有什么害处？至多影响着我的几本书的销路，一季少收点版税。为了这点利益去争闹，未免太是商贾气了。第三，这骂于人家有什么好处？至少可以充好些杂志的材料，卖点稿费。这事于人有利，我为什么不赞成呢。还有一层，明季的情形已经够像了，何必多扮一个幾社复社人去凑热闹。总之，我早走出文坛来了，还管这文坛的甚鸟？老实说，我对于文事真是没有什么兴趣，可以不谈了，还不如翻过来谈武备吧。

且慢，文事不好谈，武备难道是很容易谈的么？我知道这是不然。北京从前到处的茶楼酒馆贴过莫谈国事的纸条，关于武备固然不见明文，似乎没有禁令，但是军机何等重要，岂可妄谈，况且这又岂非即国事的一部分乎？即使如日本军部前回的发布小册子，要使人民都知道国防的紧要，那也是在上者要说的话，人民怎么开得口来，只有代表人民替他们作喉舌的议员老爷与新闻记者大人们才有说话的分，可是他们照例还是说在上者的话，说了还如不说，或者还不如不说。我半路出了家，没有能够钻到军部里去，议员在中国是没有，就是有我也拿不出这笔本钱，记者又是不会当，不敢当。很可惜我那时不曾接受这件事：张大元帅的时代，官方要办一种关于海军的月刊，部里的一个同班老友介绍别一位来访我，要我担任编辑。其时大元帅部下接收北京大学，改组为京师大学之一部，我与二三友人被赶了出来，正是在野的时候，老同学保荐我当这差使，实在非常感激，可是也实在觉得自己弄不来，很难为情地辞谢了。假如我办了那个月刊，现在便有说话的地方，然而事在七八年之前，便是怎么后悔也都来不及了。

其实我所要说或能说的话本来也是很普通的，或者未必有什么违碍，也未必有登专门刊物的资格。这大抵是普通市民无论已登记或未登记的都想得到，只是没有工夫来说，我们虽然也并不怎么有闲，却在以前养成了一种忙中说闲话的习惯，所以来代为说出罢了。我的意思第一是想问问对于目前英日美的海军会议我国应作何感想？日本因为不服五与三的比例把会议几乎闹决裂了，中国是怎样一个比例，五与零还是三与零呢？其次我想先问问海军当局，——陈先生是我的老同学，可惜现在告病了，再请教别的军事专家，现在要同外国打仗，没有海军是不是也可以？据我妄想，假如两国相争，到得一国的海军歼灭了，敌舰可以来靠岸的时候，似乎该是讲和了罢？不但甲辰的日俄之战如此，就是甲午的中日之战也是如此。中国甲午以来至于甲戌这四十年间便一直只保有讲和状态的海军，此是明显的事实无庸讳言，盖这四十年来的政治实以不同外国打仗为基础而进行着的，到了今日这个情形恐怕还没有变吧？在别人——不，就是在自己以前也如此，只好讲和的状况之下，现今要开始战争，如是可能，那是否近于奇迹？本来政府未曾对人民表示过，将来是否要与外国或预料与哪一国打仗，我们人民也不必多疑以自取“樊恼”。但是我看报章上常有代表舆论的主笔做社论，政界要人对人谈话，多说一九三六年的中国怎样怎样，这就使人民想起几个问题，想问一下，便是打不打，同谁打，怎么打？头两个属于军机秘密，大约不好问吧，末了一个似乎不妨请教，却也很是重要，因为必须先决定了没有海军也可以打，那才能说到打谁或打不打。有些本来是公开的秘密我想为政者也可以就公开了，不必再当作什么秘密，反使得人民怀疑，不信任。《论语》十九，子夏曰，君子信而后劳其民，未信则以为厉己也。现在政府正在崇圣尊经，我愿以卜子的这句话奉献。

末了我想关于军事训练说一两句话。我于教育是外行，并不想说军事训练对于中小学学业的妨害，那去问校长教员们都知道，我只说学校里的军训之无意义。这军事训练在日本是有意义的，日本是征兵制，青年总得去当兵，不过从前在学时期可以"犹豫"，现在则即就学校加以训练，实即移樽就教法耳。中国学生大学毕业，非去做各种的官也得充当教书匠，失业即未得业者往学术咨询处注册，大约没有百分之一去入伍吧。那么这多少年月的训练至少也总是白费。再说南边几处的训练壮丁，用意与待遇未始不好，然而有些农民宁愿逃亡，流落在外作苦工，不肯在乡训练几个月，仍有工资可拿，何也？民未信也。游定县农村，村长曰全村户数几何，但官厅记录则数更少，因种种支应摊派以户口计，不能堪也，此亦是未信之例。说到农村，敝人对于此亦全是门外汉也，多谈恐有误，我的闲话可以就此打住了。

（民国二十三年，冬至日）

杨柳

杨柳这题目是我所喜欢的，已经有好几年了，我常想自己来写篇文章，也想叫人家写，我自己没有写成，因为觉得不容易写得好，如李笠翁《闲情偶寄》里那一篇就很有意思，现在写起来未必能更出色。叫人家写就是出题目，我同友人们谈到国文考试，总反对那些古学或策论的试题，常说只要写一篇谈杨柳的文章就好，虽然实在也还没有实行过。可是我一直至今还是这样想，相信要考学生的国文程度须得赋得杨柳。

所谓国文，特别在考试时，干脆地一句话实在即是作文，即现今通用文字的应用，合格的条件只是文理通顺，并不需要义理考据词章哪一部门的成绩。不知道从哪一朝代起国文这名称变成与国学同义，而这国学范围又变大了，除义理考据词章之外还加上了经济，不过这并非亚丹斯密的而是文中子的，即经世济民之道。因此国文的题目可以有许多花样，如养浩然之气论，杨朱为红印第安人考，社会主义出于儒家说，抗日救国策，拟重修盘古庙上梁文，等等。这样要表示国学内容的丰富本来也很好，但是离开考查学生使用国文的实力这目的却是很远了。并不是说“西洋人吃鸡蛋所以兄弟也吃鸡蛋”，他们的办法总可以拿来做个比较，他们的作文题目不过是“旅行之益”等罢了，不会问什么培根的思想或莎士比亚的艺术，又或是培根莎士比亚异同考，因为这些是属于哲学或文学史的范围，就是要考也须得另外考试，不能混在作文里边的。中国平常英文作文或考试英文的时候，大抵也照例出这一类题目，不听见有人批评不对，何以考国文时特别不同，这是什么缘故？假如出题目为的是要表示考官的博雅，那么出些古怪难题或者可以夸示一下，若是要试验考生的能力，这正是缘木求鱼，走了反对的路了。题目如古怪而难，结果是大家做不出，成绩差的固然不会写，就是平日成绩好的也一样地写不好，如题目平易则人人各尽所能，各人可以写出一篇来，各人的能力大小也都可以自在地表现在里边，写的不大苦，看的也很容易。据我所知道只有清华大学曾经这样办过，出过“钓鱼”“蜡烛”等的题目，而社会上大为哗然，真可谓少所见多所怪了。

有人或者要怀疑，叫学生做杨柳的题目，岂不太容易了，各人会都做得一样，分不出高下来么？这其实是不会的。各尽所能，其能有大小，文章自然不能一样。譬如向来专做义理或经济的工夫的朋友，可以先说松柏在山可作栋梁，杨柳植于河边，不足供爨，结云，呜呼，君子小人之别亦犹是矣，学者其可不慎所立哉。又或云，杨柳顺树之生，逆树之亦生，若旦旦而摇之则不生也矣，君子于此可以知治民之道已。治考据者可以考杨与柳的分别，喜词章者可作小赋，不过近代考据多以历史为限，又偏于上古，故学者或长于查究老庄杨墨的户籍护照，名物之事未甚注意亦未可知，如有能于风檐寸晷中作杨柳考者殊不易得，已大可嘉许了。四者之外如能有一篇清通小文，或述故事，或说感想，或叙物理，简单明了，“不支不蔓”，此即能写国文的证明，可给及格的分数，看卷的事情岂不甚易而仍甚可[①]靠乎。所可虑者，此种能写清通小文的大约不能多有，特别在此刻现在，何也？会考的结果，学生必是多做不通的古文也。

古文本来是文体的一种，并不一定不通。我看古来的古文可以分作两类，一类是左国庄韩司马的古文，一类是韩愈以后的古文。第一类是以古文体写的文章，里边有写得很好的，我们读了知道欢喜知道赏识，却又知道绝对做不来，至多只好略略学点手法拣点材料来加入我们自己的文章里。第二类的我实在不觉得他们有什么好，他们各人尽有聪明才力，但在所谓唐宋明清等等八大家这一路的作品却一无可取，文章自然不至于不通，然而没有生命，与上一类相比便有不同，我们觉得不值得怎么读，可是很不幸的是却易于学，易于模拟。好文章学不来，坏的偏偏好学，学好的结局还写成坏文章，学坏文章必然更坏，自然就至于不通。中学教国文的先生以及社会上提倡学古文的人，老实说不见得比我辈更能懂得古文的好坏与写文章的甘苦，中学学生又没有十年萤雪的工夫去揣摩吟味，先生们所读的古文既坏所写的尤坏，徒弟所作如何能好，刻鹄类鹜，必将不通而不可救矣。我平常写杂文，用语时时检点，忌用武断夸张的文句，但是这回我踌躇考虑好久之后终于写成了“不通而不可救”六个字。不通云者，普通常曰文理不通，实在有两方面，一是文字，拟古而工夫未足，造句用字多谬误，二是思想，文既不能达意，思想终亦受了束缚而化为乌有，达无可达了。我自己有过一点小经验，可以参证。有一个时期我曾在某处教国文，担任过本一的作文三年，所得的结果可以分两点来说。一，作文练习是很有实效的。老实说我实在是很懒惰的，学生作文我未能一一细改密圈，不过稍为批点，指出它的佳处或劣处罢了。到了一年末了，除了本来中了古文毒不能写的之外，进步显然，就只这二三十次的习作并不靠删改的帮助已经发生效力了。二，在中学专做古文的学生不能写文章。做古文（自然是滥古文）本来不难，只要先看题目，再找一篇格调来套上，就题字绕一阵子，就能成功。可是这样一学会就中了毒，要想戒救极不容易。我平常不大出题目，这样[2]学生觉得不便，叫他[3]们自己出呢，大抵是国家兴亡匹夫有责这一类的大题目，文章又照例是空泛的。劝他们改做小题目，改用白话试试看，做成之后作者自己先觉得可笑，文字与意思都那么的幼稚，好像是小学儿童的手笔。有志气的学生便决心尽弃所学而学焉，从头学写普通的文章，努力去用了自己的头脑去想，用了简明的白话写出来，一面严防滥古文的说法想法的复活与混入，这样苦心用功以后才慢慢地可以挽回过来，差不多可以说至少要用一年的苦功来净除从前所中的古文毒并从头来修习作文的门路。假如不能这样做，只好老写滥调古文下去，能够说人心不古或地大物博等空话，却终不能达出自己的意思来，这样即是不通而不可救了。不识字曰文盲，识字而不能写文章可以谓之文哑罢。欲医治文哑的病，我想只有杨柳这一味药。

会考之后中学生多做古文了，至少在长江一带已是如此，这是我听一位朋友说的话，究竟如何须候事实证明。我却相信这是可能而且还是必然的。不过我的意见平常友人总说我太不乐观，所以不必多说。然而说也奇怪，我于古文的反动偏是很乐观的，觉得这不会成功，因为复古的人们自己都是古文不通的，所可惜者是平白地害了许多青年变成不通而已。

（二十四年四月）

【锺校】

①“甚可”原作“可甚”。

②“样”原作“些”。

③“他”原作“她”，下同。

关于孟母

民国二十三年十二月三十日通县女子师范学校礼堂落成兼开新年同乐会，请关麟徵焦实斋徐祖正诸位先生去讲演，我也被拉在里面。诸位先生各就军事外交教育有所发挥，就只是我没有办法。我原是弃武就文的，可是半路出家终未得道，弄成所谓稂不稂莠不莠的样子，所以简直没有什么专门话可说。但是天无绝人之路，忽然记起华光女子中学所扮演的六女杰，又想起两句《三字经》里的文句，临时就凑了起来，敷衍过去三十分钟。

这题目可以叫作赋得孟母。我说，中国现在需要怎样女子呢？这就是孟母那样的。华光女中所扮的六女杰可以代表一般青年的心理，在我看去却很有可商之处。嫘祖再有是不可能，武则天与王昭君在现今都是同样地不需要，而且有了也反不好，班昭《女诫》实为《女儿经》之祖母，不值得尊崇。馀下是两位女军人，花木兰，梁红玉还是秦良玉呢，总之共有两位，可见人心之所归向了。不过我以为中国要打仗，似男子还够用，到不够用时要用女子或亦不得已，但那时中国差不多也就要完了。女军人与殉难的忠臣一样，我想都是亡国时期的装饰，有如若干花圈，虽然华丽却是不吉祥的，平常人家总不希望它有。讲到底，这六女杰本身因为难得，所以也是可贵，在现今中国却并没有大好处，即使她们都再出现。据我想现在中国所需要的倒还是孟母。《三字经》上说：

昔孟母，择邻处，子不学，断机杼。

这种懂得教育的女子实在是国家的台柱子。还有一层，孟母懂得情理。《列女传》卷一云：

孟子既娶，将入私室，其妇袒而在内，孟子不悦，遂去不入，妇辞孟母而求去。……于是孟母召孟子而谓之曰，夫礼将入门问孰存，所以致敬也，将上堂声必扬，所以戒人也，将入户视必下，恐见人过也。今子不察于礼而责礼于人，不亦远乎。孟子谢，遂留其妇。

我读这一节不胜感叹。传云，“君子谓孟母知礼而明于姑母之道”，固然说得很对，其实礼即是人情物理的归结，知礼者必懂得情理。思想通达，能节制自己，能宽容别人，这样才不愧为文明人，不但是贤姑良母，也实是后生师范了。假如中国受过教育的女子都能学点孟母的样，人民受了相当的家教，将来到社会上去不至于不懂情理，胡说胡为，有益于国家实非浅鲜，孟母之功不在禹下。

我这孟母赞原是一时胡诌的，却想不到近日发见了同调。北平市长主张取缔中学男女同学，据说这是根据孟母的教育法，虽然又听说这是西班牙公使的意见。孟母不愿意她的儿子为墓间之事，踊跃筑埋，或嬉戏为贾人炫卖之事，这是见于《列女传》的，若男女不同学则我实在找不到出典。话分两头，反正孟母没有此事也无关系，别人要怎么说都可随便，我仔细思想之后觉得自己推崇孟母的意见还是不错的，因为像她那样懂得情理的人实在是难得，现在中国正需要这种人。前两天给北平《实报》写了一篇星期偶感，题曰《情理》，其中有一节云：

> 我觉得中国有顶好的事情便是讲情理，其极坏的地方便是不讲情理。随处皆是人情物理，只要人去细心考察，能知者即可渐进为贤人，不知者终为愚人，恶人。《礼记》云，饮食男女人之大欲存焉，死亡贫苦人之大恶存也。《管子》云，仓廪实则知礼节，衣食足则知荣辱。这都是千古不变的名言，因为合于情理。现在会考的规则，功课一二门不及格可补考二次，如仍不及格，则以前考过及格的功课亦一律无效。这叫作不合

理。全省一二门不及格的学生限期到省补考，不考虑道路的远近，经济能力的及不及。这叫作不近人情。教育方面尚如此，其他可知。

五月十日天津《大公报》短评栏有一篇“偶感”，末二节云：

又如南京市决计铲除文盲，期于明春铲除百分之七十，这实在是极好的消息。但据说明年五月要在街上抽验，倘有不识字的，要罚银一元，这就可怪了。自己预期的成绩为百分之七十，那么明明承认有百分之三十的文盲依然存在，这些人受罚，冤也不冤？

苦生活的人们从小无受教育机会，现在给他们机会，自然很好了，但轮不到受教之人，或虽受而记忆不佳之人，却新有了罚钱的危险，这实在不是情理所宜。希望[①]这电讯所述不一定要实行，应该根本上没有罚钱的规定。只识字并不能济贫，奈何要向贫民罚款！

这里我还想补充一句话：不知道这一元的罚金可以有几天效力，假如这不是捐税那样地至少可有效一年，那么这些无缘受教或记忆不佳的诸公每月还须得备三十块钱来付这笔罚款哩。

说到这里我偶然看见《三国志·徐邈传》的文句云，“进善黜恶，风化大行”，忽然似乎懂得男女同学与孟母三迁的关系了。风化云者盖本于君子之德风小人之德草，谓影响也，犹墓间之学筑埋，市傍之学炫卖耳。今人云为风化故而取缔男女同学，准孟母教育法当由于居妓院旁习为邪僻。但是，这例子显然不对，男女同学并不一定在妓院旁，一也。不同学的男女或者倒住在妾院旁，二也。学生如在其家习见妾、婢、赌、烟等邪僻事，即不男女同学亦未必有好风化，依真正孟母之教实在还在应迁之列者也。故如准照人情物理而言，学生不准住妓院旁，不准住有妾婢等的家中，乃为正风化的办法，若普通的男女同学读书则是别一件事，实与孟母毫无关系。平常人滥用风化二字，以至流于不通，如法庭上的性的犯罪在民间常称风化官司，殊不可解，少时尝误听为风花官司，似尚较有谐趣也。在中国这一类的字颇多，函义暧昧，又复传讹，有时玄秘，有时神异，大家拿来作为符箓，光怪陆离不可究诘。不佞之意以为当重常识以救治之，此虽似是十八世纪的老药方，但在精神不健全的中国或者正是对症服药亦未可知。

（二十四年五月）

【锺校】

①“希望”前原衍“在”字，已删。

保定定县之游

保定育德中学来叫我同俞平伯先生去讲演，我考虑了一番之后，觉得讲演虽然甚是惶恐，但保定定县却很想去一看，所以踌躇了几天就答应了。十一月二日早晨同平伯从东站趁火车出发，午后二时四十分抵保定，育德校长郝先生，学监臧先生，和燕大旧同学赵巨源先生都在车站相候，便一同到了学校。下午我们五个人出去游览，到过曹锟废园莲花池等各处，想去看紫河套却已没有时间了，在怡园吃了饭，便回到学校住在待楼上。三日晨平伯起来很早，去看了学生早操，饭后训育主任李先生来引导我们参观全校，设备一切都极完善。十时，我同平伯去讲演，至十二时毕，所说的无非是落伍的旧话，不必细表。下午三时十分由保定站坐火车南行，五时十分到定县，伏园来接，到他的寓里寄宿。

四日上午大约九点钟光景，我同平伯伏园出发下乡。先到牛村，访村长吴雨农先生，听他说明生计改进情形并农村概况，引导参观之后，再到陈村，访住在那里办教育事务的张含清先生。因为时候已不早了，先在张先生家里吃过饭，请他解释正在应用的导生制的新教学法，随后再去参观传习处游戏场托儿所等处。看看日色已西，匆忙作别，回到寓所已是五时三十分了。这一天坐了两个骡子拉的大车，来回一共化了八个钟头，可是还不觉得困倦，路上颠簸震动不能说没有，因为路是有轨道的，所以还不怎么厉害。北大的老同学老向来谈，一同吃晚饭，同往平民教育促进会与文艺部诸君茶话，又大说其落伍话，散会回寓已经很不早了。

五日上午跟了伏园四处乱走。先到保健院访院长陈先生，承他费了好些贵重的时间告诉我们许多重要的事实。其次去看中山靖王的坟，差不多算是替刘先生去扫了他的祖墓，伏园给我们照了一个相，平伯立着靠了墓碑，我坐在碑脚下，仿佛是在发思古之幽情的神气，只可惜这碑是乾隆年间官立的，俗而不古。末了我们去看农场，本来想关于赖杭鸡波支猪的事情多打听一点，可是午后就要赶火车回北平，不能多逗留了，只能匆匆步了一转，回寓吃饭去了。下午一时四十分火车开行，到七时四十五分就回到北平正阳门了。我们这回旅行虽然不过整整四天，所见所闻却是实在得益不少，而且运气也特别好，我们回来的第二天就刮大风，在旅行中真是天朗气清，什么事都没有，此牛村之行所以甚可纪念也。

平民教育促进会在定县的工作，已经有许多人说过了，现在可不复赘。我对于经济政治种种都是外行，平教会的成绩如何我不能[1]下判断，但是这回我看了一下之后对于平教会很有一种敬意，觉得它有一绝大特色，以我所知在任何别的机关都难发见的，这便是它的认识的清楚。平教会认识它的对象是什么。这似乎是极平常极容易，可是不然。平教会认清它的工作的对象是农民，不是哪一方面的空想中的愚鲁或是英勇的人物，乃是眼前生活着行动着的农村的住民。他们想要，也是目下迫切地需要的是什么东西，目下不必要也是他们所并不想要的又是什么东西。平教会的特色，亦是普天下所不能及的了不得处，即是知道清楚这些事情而动手去做。我听村长们的说话，凡是生计改进方面的事，如谷类的选种，可以每亩多收，不易受病，又赖杭鸡生蛋，数目多，分量大，波支猪长肉多而速，他们都确实的感到实益，其次是合作社，保健所，平民学校等。这都是平教会所做的切实的事，也是农民所需要或所能接受，所以于人民生活上多少有些利益，平教会也多少得到信用。不唱高调，不谈空论，讲什么道德纲[②]常，对饭还吃不饱的人去说仁义，这是平教会消极方面的一大特色，与积极方面的注重生计同样地值得佩服。古人说过，衣食足而后知礼义。凡是真理必浅近平易，然而难实行，其实并不难，只是不知为甚总是不行罢了，于是能实行一步者便五百年难遇一人，现在平教会知道而且能为农民谋衣食，真真是为世希有也。平教会近来兼管县政，在我外行却觉得这是一累，新县长新修了城楼，这是一种时新的建设，不过由我说来这只足以供我们游人的瞻仰，于本县人民生活盖无什么大关系乎。

我上文说普天下不能及，这原是《水浒传》中“普天下服侍看官”的那普天下，看官不要看得太实在，以为我说得太夸张了。其实中国地大物博，与平教会有同样认识的当然不会没有，我说的话原是以我的孤陋寡闻为限。我根据我的见闻，深觉得认识清楚实在是天下一件大难事，一大奇事，教育家政治家也多还不能知道其对象为何物，可以证矣。夫教育的对象当然是儿童了，学龄是有规定的，那么在什么学校的是什么年龄的儿童本不难知，而什么年龄的儿童其生理心理上是什么情形又应该如何对付也都有书可查，那么事情似乎很是简单的了。然而不然。山西会考高小学生，国文题是“明耻教战论”。算来高小毕业生该是十三四岁，做得出这题目么？我从前投考江南水师的时候，国文题是“云从龙风从虎论”，这与上边的倒是一对，一个《易经》，一个《左传》，不过那时考的新生总都有十七八岁，而且也还是光绪辛丑年的故事呀。又听说苏州举行什么礼仪作法考查会，七十几个小学生在烈日中站上两个钟头，晕倒了五十多个，据近时上海报载如此。当局者大约以为小学生的头是铁的吧？这种例很多，也可以不必多引了。至于政治今且慢谈，但举出北平近来的一件事，为了整饬市容的缘故，路边不准摆摊，有些小贩便只好钻到高粱桥下去了，关于这事闲人先生知道得很清楚。游览的外宾意见如何我不知道，在我们市民看去则有摊并不怎么野蛮，无摊也不见得就怎么文明，而在多数的平民有靠这摊为生的却难以生存了。但是为政者似乎对于这一点全未曾考虑到。昔人称范文正公作宰相只是近人情，仁者人也，近人情即与仁相去不远矣，而智实又是仁的初步，不知道人情物理岂能近人情哉。现今所最欠缺者盖即是此点，不智故不仁也。

其次，我们看了一下农村的情形，得到极大的一个益处，便是觉悟中国现在有许多事都还无从做起，许多好话空想都是白说，都是迷信。定县在河北不是很苦的县分，我们不过走了几个村庄，这也都是较好的，我们所得到的印象却只是农民生活的寒苦。我们与村人谈村里出产什么东西，原知道北方人天天吃面食的概念是不很可靠的了，所以不谈这问题，平伯乃问村里所出的小米自己够吃么？岂知这问亦是何不食肉糜之类，据回答说村人是不大吃小米的，除有客人或什么事情之外，平常只以红薯白菜为食。关于卫生状态据保健院长说，县内共有二百零几村，现在统计一切医生，连巫医种种在内，凡自称治病者都算作医生，人数也还不够分配。又说定县村中遇有生产，多由老年妇女帮忙收拾，事后也无报酬，至今没有职业的产婆，即欲养成亦不容易，因不能成为职业也。又听主管教育的张先生说，现在农村里推行教育，第一困难而没法解决的是时间问题。假如学校是有了，学费什么都不要，教科书和用品一律发给，办法十分周到，似乎教育应该发达了，然而他们还是不来，因为他们没有来上学的时间。农民的家庭组织是很经济的，家中老老小小都有工作，分担维持生活的一部分，六岁的小孩要去摘[3]棉花，四岁的也得要看管两岁的弟妹，若是一个人离开了他的本位，一家的生活便会发生动摇。所以要他们来上学，单是免费还没有用，除非能够每月给多少津贴，才可以希望他们把生利的人放出来读书。我对于农村问题完全是门外汉，见闻记录或亦难免有误，而且这些情形并非定县所特有，在别处大约很多，有些地方还有加倍寒苦者，这些道理我[4]都承认，但是即使如此，即使定县的农民生活在中国要算是还好的，我的结论还是一样，或者更加确信：即是[5]中国现在有许多事都无从说起。我是相信衣食足而后知礼义的说法的，所以照现在情形，衣食住药都不满足，仁义道德便是空谈，此外许多大事业，如打倒帝国主义，抗日，民族复兴，理工救国，义务教育等等，也都一样的空虚，没有基础，无可下手。我想假如这些事不单是由读书人嚷嚷了事，是要以民众为基础的，那么对于他们的生活似乎不可不注意一点，现在还可以把上边的空话暂时收起，先让他有点休息的时间，把衣食住药稍稍改进，随后再谈道德讲建设不迟。《论语·子张》第十九云："子夏曰，君子信而后劳其民，未信则以为厉己也。"《孟子·梁惠王》上云："今也制民之产，仰不足以事父母，俯不足以畜妻子，乐岁终身苦，凶年不免于死亡，此惟救死而恐不赡，奚暇治礼义哉。"我个人的意见虽然落伍，对于农村等问题虽然是不懂，但是我所说的话却是全合于圣经贤传的，这在现今崇圣尊经的时代或者尚非逆耳之言而倒是苦口之药乎。

（二十三年十二月）

【锺校】

①此处原衍“不”字，已删。

②“纲”原作“钢”。

③“摘”原作“捉”。

④“我”原作“他”。

⑤“是”原作“使”。

日本管窥

日本是我所怀念的一个地方。我以前在杭州住过两年，南京东京各六年，绍兴约二十年，民六以来就住在北京，这些地方都可以算是我的一种故乡，觉得都有一种情分，虽然这分量有点浅深不一。大抵在本国因为有密切的关系的缘故，往往多所责望，感到许多不满意处，或者翻过来又是感情用事地自己夸耀，白昼做梦似的乱想，多半是情人眼里的脸孔，把麻点也会看做笑靥。对于外国则可以冷淡一点，不妨稍为个人主义的，无公民的责任，有寓公的愉快。本来这也不能一概而论，如西洋人看东方事情似乎多存一个“千零[①]一夜”的成见，以为这一群猴子中间必有十分好玩的把戏，结果将无论什么事物都看得非常奇怪，还有或者在政治上有过[②]仇隙的，又未免过于吹毛求疵以至幸灾乐祸，此虽亦是人情所不能免，但与事实当然相去更远了。我在东京居住是民国以前的事，自庚子至二次革命这期间大家知道中国的知识阶级以至民党对于日本的感情是并不很坏的，自五三即济南事件至五一五即犬养被害这里边有好些曲折，我们现在不好一句话断定，至于日本虽是外国但其文化的基本与中国同一，所以无论远看近看都没有多大惊异，如西洋人那样看了好久画下来时女人还不免是左衽，在这点上我们总是比较冷静地看得清白的。因为这些缘由我对于日本常感到故乡似的怀念，却比真正的故乡还要多有游行自在之趣，不过我在这里并不想写这些回忆，我现在只想谈一点关于日本的感想，先略略说明自己的情调而已。

普通讲到日本人第一想到的是他的忠君爱国。日本自己固然如此说，如芳贺矢一的《国民性十论》的第一项便是这个，西洋人也大抵如此，小泉八云（Lafcadio Hearn）的各种著书，法国诗人古修（Paul Louis Couchoud）的《日本的印象》都是这样说法。我从前很不以为然，觉得这是一时的习性，不能说是国民性。据汉学家内藤虎次郎说日本古来无忠孝二语，至今还是借用汉语，有时“忠”训读作 Tada，原义也只是“正”耳，因此可知这忠君之德亦是后起，至于现今被西洋人所艳称的忠义那更是德川幕府以后的产物了。我以为日本人古今不变的特性还是在别地方，这个据我想有两点可说，一是现世思想，与中国是共通的，二是美之爱好，这似乎是中国所缺乏。此二者大抵与古希腊有点相近，不过力量自然要薄弱些，有人曾称日本为小希腊，我觉得这倒不是谬奖。我至今还是这个意见，但近来别有感到的地方，虽然仍相信忠君爱国是封建及军国时代所能养成的，算不得一国的特性，至于所谓万世一系的事实我却承认其重要性，以为要了解日本的事情，对于这件事实非加以注意不可，因为我想日本与中国的思想有些歧异的原因差不多就从这里出发的。

万世一系是说日本皇位的古今一贯，自从开国的神武天皇至现今的昭和天皇，一百二十四代，二千五百九十五年，延绵不绝，中间别无异族异姓的侵入，这的确是希有可贵的事，其影响于国民心理者自然至深且大。这里可以分两点来说。其一是对于国的感情。日本古来的幸运是地理上的位置好，人民又勇悍，所以历来他可以杀到中国高丽来，这边杀不过去，只有一回蒙古人想征服他，结果都沉到大海里去了。因此日本在历史上没有被异族征服过，这不但使国民对于自己的清白的国土感到真的爱情，而且更影响到国民的性情上可以使他比被征服的民族更要刚健质直一点。中国从周朝起就弄不过外夷，到了东晋天下陷没了一半，以后千六百年，没有什么好日子过，元与清又两次征服了全国，这给与国民精神上的打击是难以估量的。庚子联军入京时市民贴顺民标语还要算是难怪，九一八以后关外成群成队的将卒都“归顺”了敌国，这是世界少见的事，外国只有做了俘虏，后来还是要回本国去的，这样入籍式的投降实在是被征服的历史的馀毒。这一比较就可以看出日本人的幸运来，他们对于本国所怀着的优越感也不是全无道理的了。但是这种感情也有粗细的分别，即乡土的爱护与军国的欲望。如近代诗人小林一茶有几首俳句(即时应称发句)，其一咏樱草云：

在我们国里就是草也开出樱花来呀。

只译述大意，一点都不像诗了。樱草中国名莲馨花，但我们不大知道。其二题云《外之滨》：

从今天起是日本的雁了呀，舒服地睡吧。

这都是诗人的说话。又如大沼枕山善作汉诗，我当初在永井荷风的《下谷丛话》中看见他的一首《杂言》之一，很是喜欢，后来买到《枕山诗钞》，在初编卷下找到，诗云：

未甘冷淡作生涯，月榭花台发兴奇，
一种风流吾最爱，南朝人物晚唐诗。

又二编卷下有《题芳斋所藏袁中郎集尾兼示抑斋》诗

四首，其四云：

爱国忧君老陆诗，后人模仿类儿嬉，
中郎慧眼能看破，杯酒之间寓痛思。

本来也很有理解，但是二编卷中有《源九郎》一首云：

八郎单身取琉球，九郎多士况善谋，
虾夷若用西征力，鞑靼俄罗皆我州。

此原系咏史之作，称扬义经弟兄的武勇，但诗既不佳，思想更谬，盖优越感之恶化，有如勃阑特思之批评普式庚（Pushkin）晚年正是兽性的爱国了。

再说其二是对于君的感情。日本现在虽然还有皇族华族士族平民四个阶级，普通总说古来是一大家族，天皇就是族长，民间亦有君民一体的信仰，事实上又历来戴着本族一姓的元首，其间自然发生一种感情，比别国的情形多少不同，或更是真情而非公式的。在中国六朝时有过雄略（二十一代）武烈（二十五代）诸天皇，据史书上说颇为暴虐，但是去今已远，十世纪时冷泉天皇（六十三代）用藤原氏为关白，差不多是宰相执政，到了后鸟羽天皇（八十二代）建久三年（西历一一九三）以源氏为征夷大将军，大权更是旁落，幕府就是政府，天皇不过守府而已，直到一八六八年明治维新，这才王政复古。臣民中觊觎皇位的也有过两个人，一个是武人平将门，一个是和尚弓削道镜，却都失败了，此外武人跋扈的更不少，不过至多做到废立，自己只要做“将军”握政权就够，这在中国只有曹孟德一人可以相比。顺德天皇（八十四代）承久三年（一二二一）禅位于仲恭天皇（八十五代），称上皇，但上边还有两位在那里，即后鸟羽上皇与土御门上皇。后鸟羽上皇因为政权为幕府所把握，而且源氏既灭，陪臣北条氏擅权，心甚不平，便下敕讨伐，北条氏军立即占领京都，于是废仲恭天皇，立后堀河天皇（八十六代），三上皇则悉“迁幸”，后鸟羽上皇往隐岐，土御门上皇往土佐，顺德上皇往佐渡，又于京都南北六波罗设“探题”官两员，以监视宫廷。这在历史上称为承久之乱，又百年而有建武中兴之事。后醍醐天皇（九十六代）灭北条氏，改元建武，努力中兴，可是降将足利尊氏复叛，陷京都，三年（一三三六）天皇幸吉野，称吉野朝，尊氏拥立光明院，自为大将军，开幕于室町，史称南北朝焉。在历史上南朝本为正统，三传至后龟山天皇乃以神器归于北朝后小松天皇（百代），南北分立者凡六十六年。这样看来，武人对于皇室可谓不很客气，和我上面所说人民的感情大不相同，可是塞翁得失很是难说，因为天皇向来只拥虚位不管事，所以人民对于他只有好感情，一切政事上的好坏都由幕府负责任，这倒颇有君主立宪的好处，所差者就是那责任幕府是世袭的独裁者，自然不免有残民以逞的事情，但是由我看来这总比现在还好一点吧。我觉得日本这几年的事情正是明治维新的反动，将来如由武人组织法西斯政府，实际即是幕府复兴，不过旧幕府的态度是直爽的，他的僭上专擅大众皆知，做事好歹不与天皇相干，这是我所说的较好处了。别国的政治我们不好妄说，实在我也不懂，但这却是实情，历来天皇虽无实权，人民对于天皇的感情则很深厚。在明治四十年顷，大正天皇还是皇太子的时候，我曾在东京见过一次，那时我在本乡的大学前闲走，警官忽然叫行人都在路旁站住，又叫去帽，一煞时皇太子和太子妃坐了一辆马车过来，举着手对众人还礼，我见了很佩服，觉得真有一家和平之象。日前听日本友人说，现今警跸森严，情形有点不同了。为什么这样剥夺了人民的信与爱的呢？这在中国不足为奇，但在日本虽然我们是外国人却不能不很为之可惜也。

日本人是单纯质直的国民，有他的好性质，但是也有缺点，狭隘，暴躁。在现今的世界上欺侮别人似乎不算是什么坏事，可以不说，单说他对自己也往往如此，爱之适以害之。日本人的爱国平常似只限于对外打仗，此外国家的名誉仿佛不甚爱惜。去年秋天我往东京，在一个集会上遇见好些日本的军人和实业家，有一位中将同我谈起许多留日学生回去都排日，这是什么缘故，他以为一定是在日本受了欺侮的结果。我说这未必然，以我自己的经验来说不曾受过什么欺侮，我想这还是因为留学生看过在本国的日本人再看见在中国的日本侨民的行为的缘故吧，中国老百姓见了他们以为日本人本来是这样的，无可奈何也就算了，留学生知道在本国的并不如此而来中国的特别无理，其抱反感正是当然的了。那位中将听了十分诧异，说这样情形倒不知道，只可惜我无暇为他具体地说明，让他更知道得切实一点。恰巧今天（五月三日）北平《晨报》的社论[3]讲及战区内纵容日鲜浪人欺凌华人的事，又引《密勒[4]评论报》调查战区一带贩毒情形，云唐山有吗啡馆一百六十处，滦县一百零四处，古冶二十处，林西四处，昌黎九十四处，秦皇岛三十三处，北戴河七处，山海关五十处，丰润二十三处，遵化九处，馀可类推。北平这地方虽在战区之外我想也可以加上，这里我不曾调查出数目，但据我从在北平的好些日本的熟人直接间接听来，颇知道一点情形，其实这已并非秘密，中日的警官以及北平市民大抵都知道了的。有一位日本友人说，他的店里常有人去说要买，答说没有，不肯相信，无论怎么说他总不肯走，盖他以为凡是日本人的店无不卖那个的也。这位友人的窘况与不愉快我很能谅解，他就做了那些不肖的同胞的牺牲，受了侮辱叫他有口也不能分辩。但是领事馆为什么不取缔的呢？说毒化政策这倒未必然，大约只是容许侨民多赚一点钱吧。本来为富不仁，何况国际，如英国那样商业的国家倘若决心以卖雅片为业，便不惜与别国开战以达目的，这倒也言之成理，日本并不做这生意，何苦来呢！商人赚上十万八万，并不怎么了不得，却让北平（或他处）的人民认为日本人都是卖白面吗啡的，这于国家名誉有何好看，岂不是贪小失大么？日本平常动不动就说中国人排日侮日，其实如上边所说使一地方人民都相信日本人专售吗啡，岂不更是侮日之尤，而其原因还不是在日本官民之不能自己爱惜国家的名誉的缘故么？这又是甚可惋惜之一事也。

由君臣主从之义发生的武士道原是日本有名的东西，在古来历史文艺上的确不少可泣可歌的故事，但是在现今却也已不行了。民国以前我居留东京的时候，遇见报上发表市内杀死多人的案件，便有老剑客发牢骚说人心不古，剑术太疏了，杀人要这样的乱劈，真不成样子，而且杀女人小孩以及睡着的人，这都是极违反道义的行为。老年人的叹息多是背时的，可是这段话我觉得很有意思，至今还记得，虽然年月人名已经说不清楚了。昭和七年（一九三二）五月十五日海陆军青年将校杀内阁总理犬养毅，所谓五一五事件发生后，武士道似乎更成了问题：究竟这东西在日本还有么？我们回想元禄十五年赤穗义士四十七人为其主报仇，全依了国法切腹而死。明治元年土佐兵士杀伤法国水兵，二十人受切腹处分。这些悉是旧式武士的典型，他们犯禁，便负责伏法，即或法偶宽亦负责自杀，依了他们的“道”，也就是斯巴达武士的“规矩”。后面[5]这回现役军人杀了首相结果都从宽办理，无一死罪，亦不闻有如古武士负责自杀者，老剑客如尚在不知当更如何浩叹也。仔细想起来，这也不是现在才如此，大正十二年（一九二三）大地震时甘粕宪兵少尉杀害大杉荣夫妇及小儿，终得放免，已有前例。其次还有民间主谋的一团人，首领井上日召据说是和尚，初审判了死刑，再审却减了等，据报上说旁听的那些亲戚家属听了减刑的判决都喜欢得合掌下泪。我看了这纪事却只觉得满身不愉快，阿弥陀佛，日本的武士道真扫地以尽了。主谋杀人的好汉却怎地偷生恶死，何况又是出家人，何其看不透耶。照例说，那甘粕宪兵少尉，五一五的海陆军人，井上和尚，都应该自杀，即使法律宽纵了他们，这才合于武士道。然而他们都不这样做，社会上又似乎特别奖励庇护着他们，因此可知一般社会亦久不尊重武士道矣。户川秋骨在文集《都会情景》中有一小文谈到这事件，原文云：

> 大臣暗杀固然也是紊乱军规，第一是卑怯的行为。这或是由于说什么现代之报仇那种头脑胡涂的时代错误而起亦未可知，然这种卑怯行为在今日却专归那所谓爱国之士去实行。他们自己或者没有自觉到也说不定，这样的事情乃真是士风之颓废也。在这一点上看来，现在顶堕[6]落的东西并非在咖啡馆进出的游客，也不是左倾的学生，乃是这种胡涂思想的人们耳。
>
> 我尝说今日如有侠客这东西，那也总是助强挫弱的这类人吧，于今知道这句话也可适用于某某了。

某某二字原系两个叉子，无从代为补足，看语气或者是军人二字的避讳吧。——说到犬养木堂，并不是因为他与中国民党有旧，我也和他的令息犬养健氏见过，所以恭维他，公平地说倒是他老人家那种坚决的态度很有武士道的精神，只可惜不幸死了，对于中日两国都是很大的不幸，看他出来任这艰巨是原有觉悟的，所以那死也是他的本怀，后人亦不必代为扼腕嗟叹的吧。

我从旧历新年就想到写这篇小文，可是一直没有工夫写，一方面又觉得不大好写，这就是说不知怎么写好。我不喜做时式文章，意思又总是那么中庸，所以生怕写出来时不大合式，抗日时或者觉得未免亲日，不抗日时又似乎有点不够客气了。但是这没有办法，只能这样了，写了要去还拖欠已久的文债，来不及再加增减。在末了我只想说明一句，我写这篇文章只是略说我对于日本一两点事情的感想，并没有拿来与中国比量长短的意思。我们所说到底是外国人的看法，难免有不对的地方，至于中国本国的事情自然知道得更清楚，也承认有很多很大的缺点，这个不待人家说自己应该早已明白了，所以我素来不想找寻别人的毛病或辩护自家的坏处。日本在他的西邻有个支那是他的大大方便的事，在本国文化里发见一点不愜意的分子都可以推给支那，便是研究民俗学的学者如佐藤隆三在他新著《狸考》中也说日本童话《滴沥山》（*Kachikachi yama*）里狸与兔的行为残酷非日本民族所有，必定是从支那传来的。这种说法我是不想学，也并不想辩驳，虽然这些资料并不是没有。

（二十四年五月在北平）

【锺校】

①“零”原作“夜”。

②“过”原作“遇”。

③“论”原作“说”。

④“勒”原作“敕”。

⑤“面”原作“而”。

⑥“堕”原作“坠”。

《关于十九篇》小引

有朋友在编日报副刊，叫我写文章。我愿意帮点小忙，可是写不出，只能品凑千把字聊以塞责。去年暑假前写了《论妒妇》等三篇，后来就收在《夜读抄》里边，仿佛还好一点，从十一月到现在陆续乱写，又有了十九篇，恐怕更是不成了，但是丢掉了也觉得可惜，所以仍旧编入随笔，因为大多数题作关于什么，就总称之曰“关于十九篇”。

关于这二字是一个新名词。所谓新名词者大抵最初起于日本，字是中国字而词非中国词，却去借了回去加以承认者也。这“关于”却又不然，此是根据外国语意而造成一个本国新词，并非直用其语，或者此属于新名词之乙类，凡虚字皆如此亦未可知。英国倍洛克（Hilaire Bellec）著文集云《关于一切》（*On Everything*）等等之外，闻又有名 *ON* 者，似可译为

《关于》，然则不佞殆不无冒牌之嫌疑，不过[1]敝文尚有十九篇字样，想不至于真成了文抄公也。

（二十四年五月二十六日记）

【锺校】

①“过”原作“遇”。

关于宫刑

今日北平各报载中央社柏林十日“路透电”云：

> 据官方今日宣称，因犯有不正当之性行为而照去年十一月二十四日颁行之律处以宫刑者，共一百十一人，所有各犯均将在茅比特监狱医院中施用手术，约每人八分钟即可竣事，纯以科学方法行之，受刑者于施用手术后将由医士看护数月，在此期内将摄影以志其生理上之发展，并将灌音以察其喉音之变迁。

关于这条新闻恐怕有两点容易误解，想略加以说明。

一是所谓宫刑。报上虽然都用古雅的字写作宫刑，我想这大约只是 Castration 罢，即除去内生殖器以防繁殖，在男子割去睾丸，更进步的方法则只要扎缚输精管便行，但无论如何总于性交无妨，这一点是与中国宫刑截然不同的，所以假如有人想招这些新式刑馀之人去看守上房，那是要大失其望的了。关于现代阉割这问题，英国蔼理斯在《性的心理研究》卷六《性与社会的关系》中有所说明，第十二章《论生殖之科学》中云：

古来医术都反对去干涉生殖器官。希腊医师宣誓时有一句云我不割，意思似即禁止阉割。到了近代却发生了大变化，在有病时阉割的手术常施用于男女两性，又曾有人主张，并且有时实行，施用同样手术，希望可以消除强烈的变态的性欲。近年来更有人主张用之于消极的善种工作上，以为比防孕或坠胎更是根本地有效。

赞成阉割的运动盖发生于美洲合众国，曾有种种实验，列入于法律中。最初有韩蒙德，伊佛志，利特斯顿等人主张，只用以惩罚犯人，特别是性的犯罪者。但是从这观点看去，这个办法似乎不甚完全，而且或者有点不合法。在好些事件上，阉割并不是一种惩罚，却是一种积极的利益。在别的些事件上，假如违反本人的意志而执行的，这会发生很有害的心理影响，使得本来已经精神变质或怔忡的人入于发疯，犯罪，以及一般的反社会的倾向，比以前更是危险。善种学的研究较为后起，其主张施用阉割更有健全的基础，因为阉割现在并不是执行一种野蛮的侮辱的刑罚，却是出于本人的承认，其目的只在使社会安全，免于无用的或有害的分子之增加而已。

德国的办法似乎是用睾丸摘出手术，因为新闻上说明体格与声音要发生变化，假如只用扎缚便没有这些现象。又这在德国明明是用作一种惩罚，那么蔼理斯所说的那些流弊大约也就难免罢。

二是所谓不正当之性行为。这个名称很是笼统，但意思显然是指变态的性欲，并不包含法律外的普通男女关系在内。假如读者误解，以为德国把犯奸的男子都下了蚕室，此固大足以快道学家之意，而回头一看亦甚危险，据王宠惠博士说，中国男子有百分之三十纳妾，依法理便均系犯奸，若照办一下，突然要增出六千万名的太监来，将如何得了乎。

（二十三年十一月十二日）

关于林琴南

整整的十年前，民国十三年十一月中，我曾经写过这一篇小文，纪念林琴南之死：

林琴南先生死了。五六年前，他卫道，卫古文，与《新青年》里的朋友大斗其法。后来他老先生气极了，做了一篇有名的小说《荆生》，大骂新文学家的毁弃伦常，于是这场战事告终，林先生的名誉也一时扫地了。林先生确是清室孝廉，那篇《蠡叟丛谈》也不免做的有点卑劣，但他在中国文学上的功绩是不可泯没的。胡适之先生在《五十年来中国之文学》里说，“《茶花女》的成绩遂替古文开辟一个新殖民地”，又说，“古文的应用自司马迁以来，从没有这样大的成绩”。别一方面，他介绍外国文学，虽然用了班马的古文，其努力与成绩决不在任何人之下。一九〇一年所译《黑奴吁天录》例言之六云，“是书开场伏脉接笋结穴，处处均得古文家义法”，虽似说的可笑，但他的意思是想使学者因此“勿遽贬西书，谓其文境不如中国也”，却是很可感的居心。老实说，我们几乎都因了林译才知道外国有小说，引起一点对于外国文学的兴味，我个人还曾经颇模仿过他的译文。他所译的百馀种小说中当然玉石混淆，有许多是无价值的作品，但世界名著实也不少。达孚的《鲁滨孙漂流记》，司各得的《劫后英雄略》，迭更司的《块肉馀生述》，小仲马的《茶花女》，圣彼得的《离恨天》，都是英法的名作。此外欧文的《拊掌录》，斯威夫德的《海外轩渠录》，虽然译的不好，也是古今有名的原本，由林先生的介绍才入中国。文学革命以后，人人都有了骂林先生的权利，但没有人像他那样的尽力于介绍外国文学，译过几本世界的名著。中国现在连人力车夫都说英文，专门的英语家也是车载斗量，在社会上出尽风头，——但是，英国文学的杰作呢？除了林先生的几本古文译本以外，可有些什么！……我们回想头脑陈旧，文笔古怪，又是不懂原文的林先生，在过去二十年中竟译出了好好丑丑这百馀种小说，再回头一看我们趾高气扬而懒惰的青年，真正惭愧煞人。林先生不懂什么文学和主义，只是他这种忠于他的工作的精神，终是我们的师，这个我不惜承认，虽然有时也有爱真理过于爱我们的师的时候。

现在整整的十年过去了，死者真是墓木已拱了，文坛上忽然又记念起林琴南来，这是颇有意思的事情。我想这可以有两种说法。其一是节取，说他的介绍外国文学的工作是可贵的，如上边所说那样。但这个说法实在乃是指桑骂槐，称赞老头子那么样用功即是指斥小伙子的懒惰。在十年前的确可以这样说，近来却是情形不同了，大家只愁译了书没处出版，我就知道有些人藏着二三十万字的译稿送不出去，因为书店忙于出教科书了，一面又听说青年们不要看文艺书了，也不能销。照此刻情形看来，表彰林琴南的翻译的功劳，用以激励后进，实在是可以不必。其二是全取，便是说他一切都是好的，卫道，卫古文，以至想凭借武力来剪除思想文艺上的异端。无论是在什么时代，这种办法总不见得可以称赞吧，特别是在智识阶级的绅士淑女看去。然而——如何？

我在《人间世》第十四十六这两期上看见了两篇讲林琴南的文章，都在《今人志》中，都是称赞不绝口的。十六期的一篇盛称其古文，讲翻译小说则云：

"所译者与原文有出入，而原文实无其精彩。"这与十四期所说，"与原文虽有出入，却很能传出原文的精神"，正是同样的绝妙的妙语。哪一位懂英文的人有点闲空，请就近拿一本欧文的 *Sketch Book* 与林译《拊掌录》对照一两篇看，其与原文有出入处怎样地能传出原文的精神或比原文怎样地更有精彩，告诉我们，也好增加点见识。

十四期中赞美林琴南的古文好与忠于清室以外，还很推崇他维持中国旧文化的苦心[①]。这一段话我细细地看了两遍，终于不很明白。我想即使那些真足以代表中国的旧文化，林琴南所想维持者也决不是这个，他实在只拥护三纲而已，看致蔡鹤卿书可知。《新申报》上的《蠡叟丛谈》可惜没有单行，崇拜林琴南者总非拜读这名著一遍不可。如拜读了仍是崇拜，这乃是死心塌地的林派，我们便承认是隔教，不再多话，看见只好作揖而已。

（二十三[②]年十二月）

【锺校】

①这一句原排在上一段末尾，从文义看应该是下一段的开头，现在就这样改过来了。

②"三"原作"四"。

关于读圣书

前两天买到蔼理斯的几本新刊书，计论文集初二集，又一册名《我的告白》（*My Confessional*，1934），内共小文七十一篇，大抵答复人家的问，谈论现时的诸问题。其第四十八篇题云《圣书之再发见》，其中有两节云：

现代教育上有许多看了叫人生气的事情。这样的一件事特别使我愤怒，这就是那普遍的习惯，将最崇高的人类想像的大作引到教室里去，叫不识不知的孩儿们去摸弄。不大有人想要把沙士比亚，玛罗和弥耳敦拉到启蒙书堆里去，让小孩们看了厌恶（还有教师们自己，他们常常同样地欠缺知识），因为小孩们还不能懂得这里边所表现的，所净化成不朽的美的形色的，各种赤裸的狂喜和苦闷。

圣书这物事，在确实懂得的人看来，正也是

这种神圣的艺术品之一，然而现在却也就正是这圣书，硬拿去塞在小孩的手里，而这些小孩们却还不如在别处能够更多得精神的滋养，这如不在安徒生的童话里，也总当在那种博物书里，如式外尼兹所著的《婴孩怎么产生》。

那些违反了许多教育名师的判断，强要命令小孩们读经，好叫他们对于这伟大文学及其所能给的好处终身厌恶的，那些高等官吏在什么地方可以找着，我可不知道。但是，在那些人被很慈悲地都关到精神病院里去之先，这世间是不大会再发见那圣书的了。

读了这几节，我觉得最有兴趣的是蔼理斯的称扬式外尼兹（Karl de Schweinitz）的那本小书。《婴孩怎么产生》（*How a Baby is Born*）是一本九十五页的小册子，本文七章，却只实占三十四页，此外有图十九面，伦敦市教育局前总视学侵明士博士的序一篇。我因了他的这篇序，再去找侵明士（C. W. Kimmins）博士的书，结果只买到一种，书名《儿童对于人生的态度》，一九二六年出版，是从小孩所写的故事论文里来研究儿童心理的，此外有《儿童的梦》一种，可惜绝版了买不到。再说《婴孩怎么产生》，看题目也就可以知道这是性教育的书，给儿童讲生产与性的故事的。的确如序文所说：

> 这婴孩怎么产生的故事是组织成一个非常有趣味的叙述，讲那些植物，鱼，鸟，野生和家养的各种物的生殖情形。这博物学的空气，儿童很喜欢的，造成一种愉快的背景，能够除去那种在单独讲述某项生殖事情时所常感到的困难。

然而想翻译成汉文，却又实在不容易。夏斧心先生写过一本《我们的来历》，在儿童书局出版，曾给我一册，即是此书译本，但可惜没有插画，这减少好些原来的价值，又文句亦多少不同，查我所有的是一九三一年本，而夏君书却是民国十九年出版，或系根据别一未改订单行本亦未可知。夏君的译本不知行销如何？想起英国儿童还不免读经之厄，中国更何足怪，性教育的书岂能敌得《孝经》乎，虽然二者并不是没关系的，想起来可发一大噱也。

蔼理斯关于读经的话也很有意味，可供中国的参证，但此亦只以无精神病者为限耳。兹不具论。

（二十三年[1]十二月）

【锺校】

①“三”原作“四”。

关于分娩

从外国书店里买来一本书，名叫《分娩的故事》(*The Story of Childbirth*)，是芬特莱博士所著，一九三三年出版。芬特莱是女科产科专门家，这书当然是关于医学的，可是也可以说是关于历史的，因为里边满是文化史人类学的资料。只可惜是美国出版，定价要三块多金洋，虽然有二百二十多幅插画，印刷纸张都不大好，令人看了不满意，正如买到哈葛德博士的《蹻子瘸子和瞎子》的时候一样。但是，十四章的本文却总能给我们好些知识与智慧。我在第四章里看见一点关于中国的话，这是在邵武行医的一位教士却特博士所说，其中云：

> 却特博士说他曾见过许多婴孩都患破伤风而死，他推测这是由于用烂泥罨盖婴孩的脐带的习惯。

我不禁小小的出一惊。因为在两天前才在定县，听见友人说过同样的话，云乡人以烂泥罨盖初生儿的肚脐，容易得破伤风，本地人称之曰四六风，谓不出四日或六日即死也。邵武与定县地隔四省，相去总有数千里之遥，乃有如此类似的事，这真可见中国之广大了。

又听保健院的院长说，定县村中遇有生产，多由老年妇女帮忙收拾，事后也无报酬，至今没有职业的产婆，即欲养成亦不容易，因此只能招集这些妇女略加训练，教以极简单的消毒方法而已。我想中国有了四千年的文明，有些地方诚然要比别的民族高一点了，如芬特莱书中插画所载那种助产方法，用索子络胳膊下挂产妇于树下而群揉其腹，或四壮夫执被单之角兜产妇而力簸扬之等等，总是没有了，但是照上面所说的看来，衣食住医的发达实在稍欠平均了。

据院长又说，定县共有二百另几村，现在统计一切医生，连巫、祝由、大小方脉在内，凡自称治病者都算作医生，人数也还不够分配。这更不禁使我惊讶，医道在乡村之“不景气”何至于此极也？听说上海有名国医出门有白俄拳师保镖，北平有名西医（也是中国人）出诊一次二十四元，与乡下情形相比，这又可见中国之另一种的广大了。

我们多事的人，吃自家的忙饭，管人家的闲事，有时候想起这种事情来，真觉得前后茫茫，没有法子，而平教会与保健院的努力却大可佩服，殊有知其不可为而为之概焉。哈葛德博士慨叹美国产妇死亡率之高，云义大利日本才千之二，美国则千之六，计数即每年死亡一万六千人，以为由于助产未周到之故。中国不知当如何？好在没有人知道。中国到底有多少丁口，这恐怕须得问海关邮局，至于生死统计有否是一问题，实在与否又是一问题也。

或者这些缺点都由于帝国主义乎？《中学生》杂志记者曰：西洋人说抽雅片是我们的一大坏处，其实，提到所谓洋烟这毒物，我们还不能不抱恨着最初为要强运鸦片来我国而打开我们门户的英帝国主义者呢。善哉，其言虽然大有阿Q的精神，但以辩解民族的缺点则再也好不过，我们亦何苦而不利用一下乎。或曰，辜鸿铭今又时髦矣，其言曰，中国文明就在这污糟里，此亦可作别一辩解也。

（二十三年十二月）

关于捉同性恋爱

近日报载柏林十七日“合众电”，云国社党近来大捉其同性恋爱者，为冲锋队所捕者当有数百人。这一件小事给我的假定加上一层证明，所以我看了不禁微笑。

我曾假定欧洲法西斯蒂的会考榜，名次如下：正取二名，一，墨索利尼，二，凯末尔。备取一名，希特拉。备取或者应称副榜，正如中国的半边举人，下次乡试还得考过。至于定名次的理由很是充足，墨索利尼所以考取第一者，因为他的政治是上了轨道的，这只看报上不大看见他的什么消息可以证明。凯末尔也差不多，从前还能毅然排除旧礼教，令妇女除去面幕，很可佩服，不过这法西斯蒂是义大利的国产，所以这榜首不能不让给墨首相了。

希特拉的分数之所以不好盖有好几个原因。卐字政治似乎老是不安宁，奇闻怪事层出不穷，好像病人不能安眠，时时发作拘挛似的，总非健康平复之象。

其第一件是烧性书。以性学之科学的研究为有害于世道人心，一奇也。以为性欲由于书物的外诱而不根于本能的发动，二奇也。以为烧书可以制性欲的泛滥，三奇也。有此三奇，远可并驾秦之始皇，近亦可齐驱中古之罗马法王矣。

第二件是驱逐犹太人。据说这是由于要保存纯粹日耳曼民族血统。纯粹的血统，这恐怕是一个幻想，虽然也自然可以说是理想，正如想望伊甸乐园生活的理想。犹太人在欧洲或者有讨人厌的地方吧，我们不能知道，如要驱逐他们而以纯粹民族的口实，还不失为一种霸术，现在若以此为政纲，此不但蹈袭威廉二世张百伦辈的传统，亦是宗教的梦想家言也。

第三件是冲锋队清党。此中详情非我们外人所知，但有内乱总不是一国一党安定之兆，只看义大利土耳其之不闹问题，便可知国社党的有毛病了。

第四件就是这捉拿同性恋爱，说到这里不免要学唱经堂的批才子书，先叫一声好。且说世事纷拿，却有章法，恰如一篇妙文。德国学问甲天下，性学也以“侯施斐尔”教授为山斗，后来忽然一阵狂风骤雨把这学术机关毁掉，书籍烧掉，再向别方面闹过一通之后，回过来捉拿同性恋爱，此真是文章上所谓草蛇灰线法也。夫同性恋爱为何物，性学中言之最详，总之此是属于医生的范围，而非军警之事。昔者疯人发狂，愚民以为有神附体，谵语则神示意，杀人放火则神示罚也，敬畏礼拜之。中古教士乃以为有鬼附体，鞭打禁锢之，不用柴火烧出魔鬼以救其灵魂者亦幸耳。到了现代才知道是神经病，把他当作病人而治疗之。此三阶段很有意义，今之捕同性恋爱盖是中古的一段，但不知中古对于此种花煞附体的犯人如何处置，现在又如何发落，惜电文简略无从知悉耳。欧战以后德国大约被逼得很厉害，有点儿逼疯了的样子，第一须得放宽一点，或者可以舒缓过来，发作自然减少，虽然新闻资料也少了，但是旁人看了也觉得心安。不过中国又何尝有批评德国的资格，我们说这些闲话岂非不自量乎。

（二十三年十二月）

关于“王顾左右”

听说郑西谛先生在北大讲演，预言今后中国文坛的倾向，其二是流入颓废，写“王顾左右”之文字。我听了觉得很有趣，却也很有点儿不懂，所以不免来讨论一番。

第一我不明白这颓废是什么意思。据朋友们说，文学上的什么颓废派是起于法兰西，时在一八八五年，而被称为该派的首领乃是诗人玛拉美（Mallarme）。整整五十年之后，中国也有这派运动发生之可能么？假如说是的，那么中国的玛拉美所写的王顾左右又是什么呢。

这就渡到第二个问题上来了。“王顾左右”，这很有趣的，可是实在不大好懂。查原语是王顾左右而言他七个字，照字面讲去可以有三种不同的说法。

甲，老王看看左派，又看看右派，把他们大谈而特谈。这是很积极的，当然不能说是不好吧？

乙，老王顾虑左派，又顾虑右派，就去谈别的不相干的事。此虽消极，亦只是苟全性命于乱世的一派，既异于西洋的狄卡耽，与中国的醇酒妇人亦仍不相近也。

丙，梁惠王觉得孟子的话不中听，回过头去看别的地方把话岔开了。这是正解，但是在这里似乎不适用，因为这种态度的文章我不晓得是怎么写法，除非这真是我所提倡的文不对题的文章。即使如此也非颓废，盖玛拉美不如是，信陵君亦不如是耳。

我想这里颓废一语当有误，非出记者即由手民，殆非原本，至于王顾左右的意思，本义固非，甲乙二义望文生训，恐亦非也。推测郑先生之意或者是譬喻讽刺的写法吧？这在言论没有自由的时代是很普通的，帝俄时代作家西乞特林（Shchedrin）所谓奴隶的言语者即是。前清末年我买到英文《各国幽默丛书》中俄国的一册，斯谛普虐克（Stepniak）序文中曾说起过，但是所收西乞特林有名的寓言却只兔子与鹰这两篇，当时甚以为憾。一九三一年英国《凤皇丛书》中始有单行本出现，原本二十八篇，现在只译出二十有二，却已是希有可贵了。在金磅顶贵的时候我买得了一册，先看译者说明当时社会背景的序文，后看著者的文章，真是毛发皆竖，冷汗出于额角，觉得他正是在骂咱们也。我最怕他那一篇《理想家的鲫鱼》，——鲫鱼先生天天在说光明就会到来，说只要鱼类联合起来，结果是被梭鱼喝酒似的喝下肚去。这与爱罗先珂的土拨鼠很是不同了，因为爱罗先珂自己是理想家，土拨鼠就是他自己。西乞特林是悲观的，但他的悲观与爱罗先珂的乐观都很诚实的，这是他们国民的一种长处。中国似乎该出西乞特林了吧？郑先生的预言似乎该是："二，流入悲观，写譬喻讽刺之文字，如西乞特林所提倡者。"但是，这预言会中么？应该与可能完全是两件事。据我想，中国将来的文学恐怕还是那一套端午道士送符的把戏吧？应时应节的画些驱邪降福的符咒，檀家看了也高兴，道士也可得点钱米，这是最好不过的生意经。不过我这里说的也是不负责任的预言，将来这种生意发达不发达，道士有没有，都要看将来才知道也。

蔼理斯的时代

上海刊物上有一篇论文，中间提到英国蔼理斯，作者断语云："蔼理斯底时代已经过去了。"我看了不禁失笑，因为我不曾知道蔼理斯有这么一个他的时代。夫既未曾有，何从过去，今作者断言其已经过去，是即证明其昔日曾有矣，是诚不佞孤陋寡闻之所得未曾闻者矣。

蔼理斯著作弘富，寒斋所有才只二十六册，又未尝精读专攻，关于他的思想实在懂得很少很浅。但是我知道他是学医的，他的专门学问是性的心理研究即所谓性学，他也写过关于梦，遗传，犯罪学的书，又写些文化及文艺上的批评文章，他的依据却总是科学的，以生物学人类学性学为基础，并非出发于何种主义与理论。所以蔼理斯活到现在七十六岁，未曾立下什么主义，造成一派信徒，建立他的时代，他在现代文化上的存在完全寄托在他的性心理的研究以及由此了解人生的态度上面。现代世界虽曰文明，在这点上却还不大够得上说是蔼理斯的时代，虽然苏俄多少想学他，而卐字德国则正努力想和他绝缘，可怜中华民国更不必说了，他的文章大约除《左拉论》外还没有多少翻译过来，即使蔼理斯真有时代，与中国亦正是风马牛也，岂不哀哉。

蔼理斯的思想我所最喜欢的是写在《性的心理研究》第六卷跋文里的末尾两节：

> 有些人将以我的意见为太保守，有些人以为太偏激。世上总常有人很热心的想攀住过去，也常有人热心的想攫得他们所想像的未来。但是明智的人站在二者之间，能同情于他们，却知道我们是永远在于过渡时代。在无论何时，现在只是一个交点，为过去与未来相遇之处，我们对于二者都不能有什么架打。不能有世界而无传统，亦不能有生命而无活动。正如赫拉克来多思在现代哲学的初期所说，我们不能在同一川流中入浴二次，虽然如我们在今日所知，川流仍是不断的回流。没有一刻无新的晨光在地上，也没有一刻不见日没。最好是闲静地招呼那熹微的晨光，不必忙乱地奔向前去，也不要对于落日忘记感谢那曾为晨光之垂死的光明。在道德的世界上我们自己

> 是那光明使者，那宇宙的顺程即实现在我们身上。在一个短时间内，如我们愿意，我们可以用了光明去照我们路程的周围的黑暗，正如古代火炬竞走——这在路克勒丢思看来似是一切生活的象征——里一样，我们手里持炬，沿着道路奔向前去。不久就要有人从后面来，追上我们。我们所有的技巧，便在怎样的将那光明固定的炬火递在他的手内，我们自己就隐没到黑暗里去。

这些话在热心的朋友们看去或者要觉得太冷静了也未可知，虽然他原是说得很切实的。现在所有的是教徒般的热诚，天天看着日出于东而没于西，却总期望明天是北极的一个长昼，不，便是那么把太阳当作水月灯挂在头上的无穷尽的白天。大家都喜欢谈“前夜”，正如基督降诞节的夜似的，或者又以古雅语称之曰子夜。这是一个很神秘的夜，但是这在少信的人也是不容易领解的。蔼理斯只看见夜变成晨光，晨光变成夜，世事长此转变，不是轮回，却也不见得就是天国近了，不过他还是要跑他的路，到末了将火把交给接替他的人，归于虚无而无怨尤。这样，他与那有信仰的明明是隔教的，其将挨骂也是活该，正如一切隔教者之挨骂一样，但如称之为时代已经过去则甚不巧妙耳。何也，以彼本未曾有什么时代也。如要勉强说有，则当在两性关系趋向解放之地，惜我多年不读俄文，不能知其究竟也。

蔼理斯是性的心理研究专家，他的时代未知何在，而批评家断言其已经过去，此真大妙也。细思之，此事实亦不奇，盖只是滑口说出耳。譬如女子服饰，远仿巴黎，近模上海，花样一变，便是过时，思想文艺亦然，大家竞竞于适时与否，万一时代已过，难免落伍，乃大糟糕矣。而判定什么的时代已否过去，亦即为批评家之大权，平日常言某也过去，或某也将过去，已成惯习，故不禁随口脱出，不问其有无时代而均断定其过去矣。其实此种问题最好还是阙疑，如达尔文之进化论，摩耳干之社会学等，在现今学术界是否已有若干修正，其时代是否过去，皆须仔细考察，未可一口断定。人非圣贤岂能全知，有所不知亦正是凡人之常，不足为愧也。

（二十四年一月）

阿Q的旧帐

阴历年关来到了，商界都要结帐，中国文学界上也有一笔帐该得清算一下子，这便是那阿Q欠下来的胡涂老帐。

《阿Q正传》最初发表是在《晨报副镌》上，每星期日登一次。那时编者孙伏园的意思，星期日的一张要特别“轻松”一点，蒲伯英每次总做文章，《阿Q正传》当时署名“巴人”，所以曾有些人疑心也是蒲君所写。这已是十多年前的事情了，好些年青的朋友大约不记得了吧。

不久有左翼作家新兴起来了，对于阿Q开始攻击，以为这是嘲笑中国农民的，把《正传》作者骂得个“该死十三元”。我想这是对的，因为《正传》嘲笑阿Q及其子孙是确实无疑，虽然所云阿Q死了没有，其时代过去了没有，这些问题我无从代为决定，本来我也是毫不知道的。

不久听说《阿Q正传》的作家也转变了。阿Q究竟死了没有呢，新兴的批评家们还未能决断定，而作者转变了，阿Q的死生事小，所以就此搁起了。不久《阿Q正传》等都被承认为新兴正统的文学了，有广告上说《正传》是中国普罗文学的代表作，阿Q是中国普罗阶级的代表，于是阿Q既然得到哀荣，似乎文坛上的阿Q问题也就可以结束了。

然而不然。对人是没有问题了，而对事的问题仍然存在，即《阿Q正传》究竟是否嘲笑农民，阿Q究竟是否已死，这些问题仍未解决，这都是新兴批评家们的责任，任何人都应负责来清算一下。

假如《阿Q正传》本来并不是反动的，不是嘲笑农民的，那么当初那些批评家们群起攻击，何其太没有眼睛？当初既然没有眼睛，何以在作者转变后眼睛忽然亮了，知道《正传》又是好的了？假如《正传》确是反动的，攻击正是应该，何以在作者转变后就不攻击，而且还恭维？

这阿Q一案的结论不外两种，一是新兴批评家之无眼识，一是新兴批评家之不诚实。看错，无眼识也。歪曲，不诚实也。本来不反动的作品，在转变前也要说它不对，本来是反动的，在转变后就要说它也对，都是不诚实。无眼识不过瞎说，说的不可信任，不诚实则是有作用，近于欺骗了。唯物史观的文学批评本亦自成一家，在中国也不妨谈谈，但是我希望大家先把上面所说的这笔烂污帐算清了再说，不然正如商界普通的规矩，前帐未清，免开尊口。

鄙人孤陋寡闻，对于世界上这派新批评未能详知，唯日本的译著亦略见一二，觉得足供参考，其所说自有固执处，但如阿Q事件这种无诚意态度盖未曾有也。上文所说故以中国为限，且只就事论事，与理论别无关系。

（二十四年二月）

关于耆老行乞

二月二日《大公报》载汉口一日下午十时发专电云：

鄂耆老会第一老人一百零一岁老翁朱辅臣因受旱灾沦为乞丐，教界闻人呈请当局公养。

我看了大有所感。这个感想可以分做两点来说。

其一，我对于乞食这事很有兴味。乞食在佛教徒是正当的生活。《翻译名义集》六二《斋法四食篇》引肇法师云："乞食有四意，一为福利群生，二为折伏骄慢，三为知身有苦，四为除去滞着。"这说得很有意思，就是陶渊明诗所云，"饥来驱我去，不知竟何之，行行至斯里，扣门拙言辞"，亦未尝不佳。一切生物的求食法不外杀，抢，偷三者，到了两条腿的人才能够拿出东西来给别的吃，所以乞食在人类社会上实在是指示出一种空前的荣誉。只可惜乞食的主人不能都像陶公的朋友那样的谐人意，"谈谐终日夕，觞至辄倾杯”，结果嗟来之食还要算是好的，普通大抵是蹴尔而与之了。（其单有蹴而无所与者自然也不是例外。）事到如此，人类之光荣的乞食就有点不大好实行，觉得这是一件扫兴的事，今天看见那个专电，心中大喜，乞食之外居然还有公养的办法，这尤其是光荣之至了。我说这话并无私心作用，因为我不是耆老，没有援例的资格，况且耆老而又要有一百零一岁，鄙人近十年来已大老朽，却还只够到一半，瞻望前途远哉遥遥，要想到了民国七十五年北平公民呈请当局公养，还须得辛辛苦苦地再活过五十年，这实是“苦矣”了。

其二，公养一百零一岁的耆老原是盛事，我却很有点忧虑，怕《孝经》失了效用。听说，广东早已厉行敬读《孝经》了。照一切新运动进行的成规，其次该是湖南，再其次即是该耆老所在地的湖北了。孝为百善先，古来帝王无不称以孝治天下者，那么一百零一岁的耆老应当由耆老的儿子奉养，这是根据经义确无疑义的。现在他的儿子在专电中不曾提及，大约[1]已不在了，这想起来也是难怪的，因为如照吾国早婚法推算，其子该有八十六岁，就是承重孙也已七十上下了罢。再算下去，至少可以有六七世同堂了，此不但熙朝人瑞，而且各亲其亲，各长其长，即一门中有五六部《孝经》矣，岂不懿欤。但是鄂耗传来，社会得了尊老的机会，而家庭失了孝亲的职分矣。或曰，是旱灾之罪也。夫一百一岁，可谓人和矣，然而不能不屈服于天之旱地之干，然则是仍人和不如地利，地利不如天时也。

（二十四年）

【锺校】

①“约”原作“略”。

关于写文章

去年除夕在某处茶话，有一位朋友责备我近来写文章不积极，无益于社会。我诚实的自白，从来我写的文章就都写不好，到了现在也还不行，这毛病便在于太积极。我们到底是一介中国人，对于本国种种事情未免关心，这原不是坏事，但是没有实力，奈何不得社会一分毫，结果只好学圣人去写文章出口鸟气。虽然孟子舆说，孔子作春秋而乱臣贼子惧，又蒋观云咏卢梭云，文字成功日，全球革命潮，事实却并不然。文字在民俗上有极大神秘的威力，实际却无一点教训的效力，无论大家怎样希望文章去治国平天下，归根结蒂还是一种自慰。这在我看去正如神灭论的自明，无论大家怎样盼望身灭神存，以至肉身飞升。但是怕寂寞的历代都有，这也本是人情吧？眼看文章不能改变社会，于是门类分别出来了，那一种不积极而无益于社会者都是“小摆设”，其有用的呢，没有名字不好叫，我想或者称作“祭器”罢。祭器放在祭坛上，在与祭者看去实在是颇庄严的，不过其祝或诅的功效是别一问题外，祭器这东西到底还是一种摆设，只是大一点罢了。这其实也还不尽然，花瓶不是也有颇大的么？而且我们又怎能断言瓶花原来不是供养精灵的呢？吾乡称香炉烛台为三事，两旁各加一瓶则称五事，钟鼎尊彝莫非祭器，而今不但见于闲人的案头，亦列于古董店的架上矣。只有人看它作有用无用而生分别，器则一也，反正摆设而已。

我写文章的毛病，直到近来还是这样，便是病在积极。我不想写祭器文学，因为不相信文章是有用的，但是总有愤慨，做文章说话知道不是画符念咒，会有一个霹雳打死妖怪的结果，不过说说也好，聊以出口闷气。这是毛病，这样写是无论如何写不好的。我自己知道，我所写的最不行的是那些打架的文章，就是单对事的也多不行，至于对人的更是要不得，虽然大抵都没有存留在集子里，而且写的也还不很多。我觉得与人家打架的时候，不管是动手动口或是动笔，都容易现出自己的丑态来，如不是卑怯下劣，至少有一副野蛮神气。动物中间恐怕只有老虎狮子，在他的凶狠中可以有美，不过这也是说所要被咬的不是我们自己。中国古来文人对于女人可以说是很有研究的了，他们形容描写她们种种的状态，却并不说她怒时的美，就是有也还是薄愠娇嗔，若是盛怒之下那大约非狄希陈辈不能赏识吧。女人尚尔，何况男子。然而说也奇怪，世人却似乎喜看那些打架的文章，正如喜看路旁两个人真的打架一样。互相咒骂，互相揭发，这是很好看的事，如一人独骂，有似醉汉发酒风，便少精彩，虽然也不失为热闹，有围而看之之价值。某国有一部滑稽小说，第三编下描写两个朋友闹别扭，互骂不休，可以作为标本：

甲：带了我去镶边，亏你说得出！你付了那二百文的嫖钱，可是在马市叫了凉拌蛤蜊豆腐滓汤喝的酒钱都是我给你付的。

乙：说你的诳！

甲：说什么诳！那时你吃刀鱼骨头鲠住咽喉，不是吞了五六碗白饭的么？

乙：胡说八道。你在水田胡同喝甜酒，烫坏了嘴，倒不说了。

甲：嘿，倒不如你在那堤上说好个护书掉在这里，一手抓了狗矢么？真活出丑。

我举这个例虽然颇好玩，实际上不很妥贴。因为现在做文章相骂的都未必像弥次北八两人那样熟识，骂的材料不能那样多而且好，其次则文人总是文雅的，无论为了政治或商业的目的去骂人，说的不十分痛快，只让有关系的有时单是被骂的看了知道。我尝说，现今许多打架的文章好有一比，这正如贪官污吏暮夜纳贿，痴男怨女草野偷情。为什么呢？因为这只有尔知我知，至于天知地知在现代文明世界很是疑问了。既然是这样，那就何妨写了直接寄给对方，岂不省事。可是话又得说回来，卫道卫文或为别的而相骂是一件事，看官们要看又是一件事，因为有人要看，也就何妨印出来给他们看看呢。如为满足读者计，则此类文章大约是顶合式吧。

我想写好文章第一须得不积极。不管他们卫道卫文的事，只看看天，想想人的命运，再来乱谈，或者可以好一点，写得出一两篇比较可以给人看的文章，目下却还未能，我的努力也只好看赖债的样以明天为期耳。

（二十四年三月）

关于写文章二

写文章的时候，文章写不好是一件苦事，觉得写出来的文章无用又是别一种无聊。话得说明白，我以为我们所写的文章可以分作两类，性质不大相同，第一类大抵可以说是以文章为主，第二类是以对象为主。第一类的文章固然也要有思想有感情，也还是以人生与自然为题材，不过这多是永久的烦恼或愉乐，号哭笑歌可以表示而不能增减其分毫，所以只要文章写得好，表现得满足，那就行了。第二类的对于什么一件事物发表意见，其目的并不以表现自己为限，却是想多少引起某一部分人的注意，多少对于那一件事物会发生点影响，这就是说文章要有一点效力或用处。无论主张文学有用或无用的人，老实说这两类的文章大约都是写的，不过写的多少有点不同罢了。我是不相信文章有用的，所以在原则上如写文章第一要把文章写的可以看得，此外的事情都是其次，但是这种文章实在不容易写，我辈尚须努力。多年的习惯觉得那第二类的文章容易写，而且对于社会国家的事也的确不能全然忘怀，明知无用而写之，然而愈写也愈少了。为什么呢？因此乃无聊事也。

关于社会上某一件事写了一篇文章，以文章论是不会写得好的，以效力言是本来没有期待的，那么剩下的写文章的兴趣还有什么呢？或者说，也就给人们看看吧，——所谓人们总得数目稍多一点，若还是几个熟人，那倒不如寄原稿去传观一下子了。《论语·卫灵公》十五云：

> 子曰，可与言而不与之言，失人。不可与言而与之言，失言。知者不失人，亦不失言。

我们不是知者，要两不失是很难的，只希望能避免一失也就好了。究竟怎么办好呢。从前我大约是失言居多，近来想想却觉得还是失人要好些。除自然科学外恐怕世上再也没有一定的道理罢，不但宗教道德哲学政治，便是艺术文学也是如此，所以两人随时有隔教之可能，要说得投机是不大容易遇见的事情。人非圣贤岂能先知，还只得照常说话，只要看一言两语谈得不对，便即打住，不至失言，亦免打架，斯为善耳。

有些朋友不赞成不打架，这也不妨各行其是。盖打架亦一人生之消遣法也。消遣可以成癖即俗云上瘾，如嗜痂之癖恐至死不能改，诚属无法，苟不至是则消遣之法亦须稍选择，取其佳良者，至少亦不可太难看。如钓鱼以至泅水取蚌蛤以消遣均不难看，而匍匐泥塘中则欠佳矣；又饮酒或喝豆汁皆不妨，而喝小便即美其名曰回龙汤亦将为人所笑矣。打架可以给观者以好玩之感，正如看两狗相咬，若打架者自身的形相乃未必好看，故除有重大宿瘾外，若单为消遣之打架则往往反露出丑态，为人家消遣之资，不可不注意也。虽然，文章至此亦遂有了用处，大值得写了，且写到对自身如此不客气，虽曰消遣实已十分严肃深刻，甚可佩服矣。此一说也。不过我们无此热心与决意者便不能做到，结果遂常觉得不满，不是感觉无聊便苦于文章之写不好，只好阁笔而叹罢了。

（二十四年三月）

岳飞与秦桧

报载十三日南京通讯，最近南京市政府呈请教育部通令查禁吕思勉著《自修适用白话本国史》，因其第三编近古史下，持论大反常理，诋岳飞而推崇秦桧也。如第一章南宋和金朝的和战中有云：

> 大将如宗泽及韩岳张刘等都是招群盗而用之，既未训练，又无纪律，全靠不住。而中央政府既无权力，诸将就自然骄横起来，其结果反弄成将骄卒惰的样子。

又云：

> 我说，秦桧一定要跑回来，正是他爱国之处，始终坚持和议，是他有识力肯负责任之处，云云。

以上所说与群众的定论比较的确有点“矫奇立异”，有人听了要不喜欢，原是当然的。鄙人也不免觉得他笔锋稍带情感，在字句上不无可以商酌之处，至于意思却并不全错，至少也多有根据，有前人说过。关于秦桧杀岳飞的事，俞正燮在《癸巳存稿》卷八有一篇《岳武穆狱论》，我觉得说的很好。接着一篇论岳武穆军律的小文，有云：

《杨再兴传》有云，绍兴二年岳飞入莫邪关，第五将韩顺夫解鞍脱甲，以所虏妇人佐酒，再兴率众入其营，杀顺夫，又杀飞弟翻。然则岳武穆军律之严整，在绍兴二年以后，初盖以运用一心而不喜言兵法，不可以事证不同致疑古名臣也。

俞氏的话说得很幽默，真真妙绝，但一方面我们可以抄别人的几句话来补足正面。此人非他，乃是鼎鼎大名的朱子也，在《语类》卷百三十二云：

建炎间勤王之师所过恣行掳掠，公私苦之。

卷百三十三又云：

唐邓汝三州皆官军取之，骎骎到南京，而诸将掳掠妇女之类不可言。

又卷百三十一云：

僩问，高宗若不肯和，必成功。曰，也未知如何，将骄惰不堪用。僩问，张韩刘岳之徒富贵已极，如何责他死，宜其不可用，若论才则岳飞为胜，他犹欲向前。先生曰，便是如此，有才者又有毛病，然亦上面不能驾驭。

又有一节云：

秦桧见虏人有厌兵意，归来主和，其初亦是。使其和中自治有策，后当逆亮之乱，一扫而复中原，一大机会也，惜哉。

可见在朱子当时，大家对于岳飞秦桧也就是这样意见，我们如举朱子来作代表，似乎没有什么毛病吧。至于现今崇拜岳飞唾骂秦桧的风气我想还是受了《精忠岳传》的影响，正与民间对于桃园三义的关公与水泊英雄的武二哥之尊敬有点情形相同。我们如根据现在的感情要去禁止吕思勉的书，对于与他同样的意见如上边所列朱子的语录也非先加以检讨不可。还有一层，和与战是对立的，假如主和的秦桧是坏人，那么主战的韩侂胄必该是好人了，而世上骂秦桧也骂韩侂胄，这是非曲直又怎么讲？赵翼《廿[①]二史札记》卷三十五云：

书生徒讲文理，不揣时势，未有不误人国家者。宋之南渡，秦桧主和议，以成偏安之局，当时议者无不以反颜事仇为桧罪，而后之力主恢复者，张德远一出而辄败，韩侂胄再出而又败，卒之仍以和议保疆。

这所说的我觉得颇平实，不知论岳飞秦桧者以为何如。

（二十四年三月）

【锺校】

①“廿”原作“二十”。

关于讲道理

不佞少时常听人家说长毛时事。时在光绪甲午以前，距太平天国才三十年，家中雇人多有身历其难者，如吴妈妈遇长毛诉饥饿，掷一物予之，则守门老翁的头颅也，老木匠自述在大王面前舞大刀的故事，而卖盐的则在脸上留有“金印”的痕迹。长毛的事当然以杀人为多，但是说的人却也不能怎么具体的说得清楚，大抵只是觉得很可怕而已。后来看《明季稗史汇编》《寄园寄所寄》等书，知道了好些张献忠和清兵杀人的情形，不过在《曲洧旧闻》里见到因子巷的故事的时候，也就对于闯王满兵不大奇怪了，原来仁慈的宋兵下江南时也是那么样的。这里牢骚本来大有可发，现在且不谈，总之我觉得长毛杀人是很普通的事，这笔账要算也要归到中国人的总账上去，不必单标在洪记户下罢。

长毛时遭难人的记录我找不到几种。其一是江宁李小池的《思痛记》二卷，查旧日记戊戌十一月十三日至试院前购此书，价洋一角。其二是会稽鲁叔容的《虎口日记》一卷，民国二十二年元日午后游厂甸，于摊上买得，二十年前读陈昼卿的《补勤诗存》即知有此记，又在孙子九的《退宜堂诗集》中称为《溅泪日记》者是也。李小池名圭，后任外交官曾往西洋，有游记及《鸦片事略》等书，《思痛记》刊于光绪庚辰，却不常见。小池于咸丰庚申被掳，陷长毛中凡三十二月，叔容则于咸丰辛酉冬在绍兴郡城，伏处屋脊凡八十日始得脱，二人所记各据其耳闻目睹，甚可凭信，可惊可骇之事多矣，今不具引，但有小事一二可以窥知洪门文化之一斑者，颇有抄引的价值。《思痛记》卷上纪闰三月十五日事云：

李贼出坐殿中椅上，语一约二十馀发已如辫长面白身矮瘦贼曰，掌书大人，要备表文敬天父。贼随去，少顷握黄纸一通置桌上，又一贼传人曰，俱来拜上帝。随见长发贼大小十三四人至，分两边挨次立，李贼立正中面向外，复谓一贼曰，可令新家伙们立廊前观听。馀众至，则李贼首倡，群贼和之，似系四字一句，不了了，约二十馀句，倡毕，所谓掌书大人者趋至桌前，北向，捧黄纸，不知喃喃作何语，读罢就火焚之。

闻七日一礼拜，届期必若是，是即贼剿袭西洋天主教以惑众者也。

胡光国著《愚园诗话》卷一载周葆濂所作《哀江南曲》，有一节云：

可记得，逢七日，奏章烧。甚赞美，与天条，下凡天父遗新诏。一桩桩胡闹，都是这小儿曹。

即指是事。后又录马寿龄的新乐府一首，题曰《讲道理》：

锣鼓四声挥令旂，听讲道理鸡鸣时。
桌有围，椅有披，五更鹄立拱候之。
日午一骑红袍驰，戈矛簇拥箫管吹，
从容下马严威仪，升座良久方致辞：
我辈金田起义始，谈何容易来至斯，
寒暑酷烈，山川险巇，千辛万苦成帝基。
尔辈生逢太平日，举足便上天堂梯。
夫死自有夫，妻死自有妻，无怨无恶无悲啼。
妖魔扫尽享天福，自有天父天兄为提携。
听者已倦讲未已，男子命退又女子。
女子痴憨笑相语：不讲顺理讲倒理。

此辈清朝人对于太平天国多所指斥，本属当然，此乃是“妖”之立场也，唯所说情形恐非尽假，我们因此可知当时有神父说教式的所谓讲道理，民间又幽默地称之曰讲倒理。《虎口日记》中不曾说及，唯十月二十日条下有纪事云：

> 晚过朝东庙，塑像尽仆，闻孔庙亦毁，贼教祀天主，不立庙。忆友人尝言，贼所撰曰圣书，称孔子为不通秀才，《论语》一书无可取者，唯四海之内兄弟句颇合天父之意，得封监军，旋升总制。当时以为笑谈，今信然矣。

查二十八日条下云，贼已派两邑库吏潘光澜朱克正为监军，然则孔子在太平天国的地位也不过与库书相上下耳，可发一笑。其实太平天国不尊崇孔子正是当然，盖原系隔教故也，其可笑处乃在妄谈文化，品题圣贤，虽然，此亦不足深责，天王贬孔子封为监军，历代帝王尊孔子封为文宣王，岂不同一可笑耶。

（二十四年三月）

关于扫墓

清明将到了，各处人民都将举行扫墓的仪式。中国社会向来是家族本位的，因此又自然是精灵崇拜的，对于墓祭这件事便十分看得重要。明末张岱著《梦忆》卷一有《越俗扫墓》一则云：

越俗扫墓，男女炫服靓妆，画船箫鼓，如杭州人游湖，厚人薄鬼，率以为常。二十年前，中人之家尚用平水屋帻船，男女分两截坐，不座船，不鼓吹，先辈谑之曰，以结上文两节之意。后渐华靡，虽监门小户男女必用两座船，必巾，必鼓吹，必欢呼畅饮，下午必就其路之所近游庵堂寺院及士大夫家花园，鼓吹近城必吹海东青独行千里，锣鼓错杂，酒徒沾醉必岸帻嚣嚎，唱无字曲，或舟中攘臂与侪列厮打。自三月朔至夏至，填城溢国，日日如之。乙酉方兵，画江而守，虽鱼艅菱舠收拾略尽，坟垄数十里而遥，子孙数人挑鱼肉楮钱徒步往返之，妇女不得出城者三岁矣。萧索凄凉，亦物极必反之一。

清嘉庆时顾禄著《清嘉录》十二卷，其三月之卷中有纪上坟者云：

士庶并出祭祖先坟墓，谓之上坟，间有婿拜外父母墓者。以清明前一日至立夏日止，道远则泛舟具馔以往，近则提壶担盒而出。挑新土，烧楮钱，祭山神，奠坟邻，皆向来之旧俗也。凡新娶妇必挈以同行，谓之上花坟。新葬者又皆在社前祭扫，谚云，新坟不过社。

苏浙风俗本多相同，所以二书所说几乎一致，但是在同一地方却也不是全无差异，盖乡风之下又有不同的家风，如故乡东陶坊中西邻栋姓，上坟仪注极为繁重，自洗脸献茶烟以至三献，费半天的工夫，而东边桥头考姓又极简单，据说只一人坐脚桨船至坟前焚香楮而回，自己则从袖中出“洞里火烧”数个当饭吃而已。明刘侗著《帝京景物略》卷二春场中云：

三月清明日男女扫墓，担提尊榼，轿[1]马后挂楮锭，粲粲然满道也。拜者，酹者，哭者，为墓除草添土者，焚楮锭次，以纸钱置坟头，望中无纸钱则孤坟矣。哭罢，不归也，趋芳树，择园圃，列坐尽醉，有歌者。哭笑无端，哀往而乐回也。

清富察敦崇著《燕京岁时记》云：

清明即寒食，又曰禁烟节，古人最重之，今人不为节，但儿童戴柳，祭扫坟茔而已。世族之祭扫者，于祭品之外以五色纸钱制成幡盖，陈于墓左，祭毕子孙亲执于墓门之外而焚之，谓之佛多，民间无用者。

以上两则都是说北京的事，可是与苏浙相比又觉得相去不远，所不同者只是没有画船箫鼓罢了。上坟的风俗固然含有伦理的意义，有人很是赞成，就是当作诗画的材料也是颇好的，不过这似乎有点不能长保，是很可惜的事。盖扫墓非土著不可，如《景物略》记清明云："是日簪柳，游高梁桥，曰踏青，多四方客未归者，祭扫日感念出游。"客只能踏青而已，何益于事哉。而近来人民以职业等等关系去其家乡者日益众多，归里扫墓之事很不容易了，欲四方客未归者上坟是犹劝饥民食肉糜也。至于民族扫墓之说，于今二年，鄙人则不大赞同，此事不很好说，但老友张溥泉君久在西北，当能知鄙意耳。

（二十四年三月）

【锺校】

①"轿"原作"骄"。

关于英雄崇拜

英雄崇拜在少年时代是必然的一种现象，于精神作兴上或者也颇有效力的。我们回想起来都有过这一个时期，或者直到后来还是如此，心目中总有些觉得可以佩服的古人，不过各人所崇拜的对象不同，就是在一个人也会因年龄思想的变化而崇拜的对象随以更动。如少年时崇拜常山赵子龙或绍兴黄天霸，中年时可以崇拜湘乡曾文正公，晚年就归依了蒙古八思巴，这是很可笑的一例，不过在中国智识阶级中也不是绝对没有的事。近来有识者提倡民族英雄崇拜，以统一思想与感情，那也是很好的，只可惜这很不容易，我说不容易，并不是说怕人家不服从，所虑的是难于去挑选出这么一个古人来。关，岳，我觉得不够，这两位的名誉我怀疑都是从说书唱戏上得来的，威势虽大，实际上的真价值不能相副。关老爷只是江湖好汉的义气，钦差大臣的威灵，加上读《春秋》的传说与一本“觉世真经”，造成那种信仰，罗贯中要负一部分的责任。岳爷爷是从《精忠岳传》里出来的，在南宋时看朱子等的口气并不怎么尊重他，大约也只和曲端差不多看待罢了。说到冤屈，曲端也何尝不是一样地冤，诗人曾叹息“军中空卓曲端旍”，千载之下同为扼腕，不过他既不会写《满江红》那样的词，又没有人做演义，所以只好没落了。南宋之恢复无望殆系事实，王侃在《衡言》卷一曾云：

> 胡铨小朝廷之疏置若罔闻，岳鄂王死绝不问及，似高宗全无人心，及见其与张魏公手敕，始知当日之势岌乎不能不和，战则不但不能抵黄龙府，并偏安之局亦不可得。

中国往往大家都知道非和不可，等到和了，大家从避难回来，却热烈地崇拜主战者，称岳飞而痛骂秦桧，称翁同龢刘永福而痛骂李鸿章，皆是也。

武人之外有崇拜文人的，如文天祥史可法。这个我很不赞成。文天祥等人的唯一好处是有气节，国亡了肯死。这是一件很可佩服的事，我们对于他应当表示钦敬，但是这个我们不必去学他，也不能算是我们的模范。第一，要学他必须国先亡了，否则怎么死得像呢？我们要有气节，须得平时使用才好，若是必以亡国时为期，那未免牺牲得太大了。第二，这种死于国家社会别无益处。我们的目的在于保存国家，不做这个工作而等候国亡了去死，就是死了许多文天祥也何补于事呢。我不希望中国再出文天祥，自然这并不是说还是出张弘范或吴三桂好，乃是希望中国另外出些人才，是积极的，成功的，而不是消极的，失败的，以一死了事的英雄。颜习斋曾云：

> 吾读《甲申殉难录》，至“愧无半策匡时难，惟馀一死报君恩”，未尝不泣下也，至览和靖祭伊川“不背其师有之，有益于世则未”二语，又不觉废卷浩叹，为生民怆惶久之。

徒有气节而无事功，有时亦足以误国殃民，不可不知也。但是事功与道德具备的英雄从哪里去找呢？我实在缺乏史学知识，一时想不起，只好拿出金古良的《无双谱》来找，翻遍了全书，从张良到文天祥四十个人细细看过，觉得没有一个可以当选。从前读梁任公的《意大利建国三杰传》，后来又读丹麦勃阑特思的论文，对于加里波的将军很是佩服，假如中国古时有这样一位英雄，我是愿意崇拜的。就是不成功而身死的人，如斯巴达守温泉峡（Thermopylae）的三百人与其首领勒阿尼达思，我也是非常喜欢，他们抵抗波斯大军而死，“依照他们的规矩躺在此地”，如墓铭所说，这是何等中正的精神，毫无东方那些君恩臣节其他作用等等的浑浊空气，其时却正是西狩获麟的第二年，恨不能使孔子知道此事，不知其将作何称赞也。我岂反对崇拜英雄者哉，如有好英雄我亦肯承认，关岳文史则非其选也。吾爱孔丘诸葛亮陶渊明，但此亦只可自怡悦耳。

（二十四年四月）

［附记］洪允祥《醉馀随笔》云：

> 《甲申殉难录》某公诗曰，愧无半策匡时难，只有一死答君恩。天醉曰，没中用人死亦不济事。然则怕死者是欤？天醉曰，要他勿怕死是要他拚命做事，不是要他一死便了事。

此语甚精，随笔作于宣统年间，据王咏麟跋云。

《蛙》的教训

今天站在书架前面想找一本书看，因为近来没有什么新书寄来，只好再找旧的来炒冷饭。眼睛偶然落在森鸥外的一本翻译集《蛙》的上面，我说偶然却也可以说不偶然，从前有友人来寄住过几天，他总要了《蛙》去读了消遣，这样使我对于那蛙特别有点记忆。那友人本来是医生，却很弄过一时文学，现在又回到医与自然科学里去了。我拿出《蛙》来翻看，第一就是鸥外的自序，其文云：

机缘使我公此书于世。书中所收，皆译文也。吾老矣，提了翻译文艺与世人相见，恐亦以此书为终了罢。

书名何故题作蛙呢？只为布洛凡斯的诗人密斯忒拉耳（Mistral）的那耳滂之蛙偶然蹲在卷头而已。

但是偶然未必一定是偶然。文坛假如是忒罗

亚之阵，那么我也不知什么时候已被推进于纳斯妥耳（Nester）的地位了。这地位并非久恋之地。我继续着这蛙的两栖生活今已太久矣。归欤，归欤，在性急的青年的铁椎没有落到头上的时节。己未二月。

所云机缘是指大正八年（一九一九）春间《三田文选》即《三田文学汇编》的刊行，《蛙》作为文选的别册，次年六月再印成单行本，我所有的就只是这一种。据鸥外的兄弟润三郎著《森林太郎传》上说，在《蛙》以后刊行的书有《山房札记》《天保物语》等二三种，都是传记文学，只有一册斯忒林堡的《卑立干》是戏剧译本，到了大正十一年随即去世，年六十一。

我读这篇短序，觉得很好玩的是著者所表示的对于文坛的愤慨。明治四十年代自然主义的文学风靡一时，凡非自然主义的几乎全被排斥，鸥外挨骂最甚，虽然夏目漱石也同样是非自然派，不知怎地我却只记得他在骂人而少被人骂。那时我们爱谈莫泊三左拉，所以对于日本的自然主义自然也很赞成的，但是议论如“露骨的描写”等虽说得好，创作多而不精，这大约是模仿之弊病也未可知，除《棉被》外我也不曾多读，平常读的书却很矛盾地多是鸥外漱石之流。祖师田山花袋后来也转变了，写实的《田舍教师》我读了还喜欢，以后似乎又归了佛教什么派，我就简直不了然了。文坛上风气虽已变换，可是骂鸥外似乎已成了习惯，直到他死时还有新潮社的中村武罗夫谩骂一阵，正如坪内逍遥死后有文艺春秋社的菊池宽的谩骂一样。为什么呢？大约总是为了他们不能跟了青年跑的缘故吧。其实叫老年跟了青年跑这是一件很不聪明的事。野蛮民族里老人的处分方法有二，一是杀了煮来吃，一是帮同妇稚留守山寨，在壮士出去战征的时候。叫他们去同青年一起跑，结果是气喘吁吁地两条老腿不听命，反迟误青年的路程，抬了走做傀儡呢，也只好吓唬乡下小孩，总之都非所以"敬老"之道。老年人自有他的时光与地位，让他去坐在门口太阳下，搓绳打草鞋，看管小鸡鸭小儿，风雅的还可以看版画写魏碑，不要硬叫子媳孝敬以妨碍他们的工作，那就好了。有些本来能够写写小说戏曲的，当初不要名利所以可以自由说话，后来把握住了一种主义，文艺的理论与政策弄得头头是道了，创作便永远再也写不出来，这是常见的事实，也是一个很可怕的教训。日本的自然主义信徒也可算是前车之鉴，虽然比中国成绩总要好点。把灵魂卖给魔鬼的，据说成了没有影子的人，把灵魂献给上帝的，反正也相差无几。不相信灵魂的人庶几站得住了，因为没有可卖的，可以站在外边，虽然骂终是难免。鸥外是业医的，又喜欢弄文学，所以自称两栖生活，不过这也正是他的强处，假如他专靠文学为生，那便非跟了人家跑不可，如不投靠新潮社也须得去钻博文馆矣。章太炎先生曾经劝人不要即以学问为其职业，真真是懂得东方情事者也。

（二十四年四月）

关于考试

承徐先生送我一本小书，又引起执笔的兴趣来了。书名《粤寇起事记实》，同治十三年刊，不著撰人名氏，但云半窝居士撰，卷末附记诸暨包村事，云吾乡忠义大节，可知其为越人耳。书只二十七页，杂记在两粤所见闻诸事，其用意似在为广西巡抚郑祖琛辩解，故疑所言未必尽确，唯有几则无甚关系的纪录，却颇有意思。如下：

> 伪天王洪秀全姓名皆假，洪乃立会之号，以我乃人王四字合成秀全二字，借禾为我字。其真姓名贼中皆未详知，惟闻其本姓郑也。

又云：

> 予游幕岭南二十馀年，所到之处见兵役缉获会匪到案，搜得贼之书籍，备载会中以洪字为号，相传已久。予检阅旧时案牍，所载相同。其党初见问姓，答以本姓某，现姓洪。将洪字分作

三八二十一，以为暗号，非始于赭寇也。

由此可知太平天国与洪门之关系。又有一则说及太平天国的考试，惜未详备，文云：

秦都司之戚车某，忘其名号，江浦县人，先为胥吏，被掳至金陵，应赭寇之试，中伪状元。金陵将克之时逸出投诚，随秦都司至楚。予见其人，身材文弱，无贼形也。问贼中考试之事，车某云，以天主教之语为题，亦试三场，每场作论一篇。余索观其稿，鄙陋不通，极为可笑。

我真觉得可惜，那些稿论没有能够抄存下来，亦是没法，只要能知道这是什么题目，也就够了。可是别的材料也找到一点，乃是二百多年前闯王时代的事。陈济生著《再生纪略》二卷，叙述他甲申三一九在北京遇难至六月初逃回江南的详情，是日记式的，有几则记贼中的考试云：

三月二十六日，闻牛金星极慕周钟才名，召试"士见危授命论"。又有贺表数千言，颂扬贼美，伪相大加称赏。

周钟本是东林中人，现在上表颂贼，固然可怪，但是我觉得不可思议的倒是这论文题目，不知当时周钟如何下笔耳。

四月朔，伪府尹考试童生，出"天与之"

题；考试生员，出“若大旱之望云霓”题。次日即发案。

×

初四日，牛相同宋企郊考试举人，出“天下归仁焉”，“莅中国而抚四夷也”，“自天祐之吉无不利”等题。就试者约七八十名，大率本地举人居多。初五日，伪相府揭晓，取实授举人五十名。

关于张献忠的一时找不着，但于《寄园寄所寄》卷九《裂眦寄》中见有引用《乱蜀始末》的一节云：

献忠开科取士，会试进士得一百二十人，状元张大受，成都华阳人，年未三十，身长七尺，颇善弓马。群臣谄献忠，咸进表疏称贺，谓皇上龙飞首科得天下奇才为鼎元，此实天降大贤助陛下，不日四海一统，即此可卜也。献忠大悦，召大受，其人果仪表丰伟，气象轩昂，兼之年齿少壮，服饰华美。

这里没有说考试题目，未免令我们有历史癖的人稍稍失望。可是下文的故事很好，也就很值得一读了。这件事的结局是很浪漫的。

次日（实在是第三个次日）献忠坐朝，文武两班方集，鸿胪寺上奏新状元午门外谢恩毕，将入朝面谢圣恩。献忠忽嚬蹙曰：这骡养的，咱老子爱得他紧，但一见他心上就爱得过不的，咱老子有些怕看见他，你们快些与我收拾了，不可叫他再来见咱老子。凡流贼谓杀人为打发，如尽杀其众则谓之收拾也。

结果自然是钦此钦遵，诸臣承命立刻将状元张大受全家并所赐的美女十人家丁二十人尽数杀戮，不留一人。

张李洪三家的做法不一样，虽然都是考试。张家似乎是《西游记》里的人物，或是金角大王之流，全是妖魔的行径，所可取的就是这上谕煞是奇妙，在《西游记》也很少这种幽默的点缀。李家却是合于程式的，牛相到底不愧为不第秀才，题目也出得有意义，所考当然仍是八股文吧。现代有历史家听说很恭维永昌皇帝，以为他是普罗出身，假如没有被清兵轰走，一定可以替民众谋福利，各人的信仰与空想本来尽可随便，但据我从这考试上看来李家天下总也是朱元璋那一套而已。洪家的办法最特别了，考试天主教的策论，表面上似乎是以西学为体中学为用，然而既然重视文字的考试，无论做的是经义或策论，总之仍是中国本色的考试，此殆可谓之教八股也。

（二十四年五月）

［附记］清王用臣《斯陶说林》卷三云：

> 粤逆开科取士，伪乡试共取三十人，其题云，“皇上帝为天下万国大共之父，人人是其所生所养，人人是其保佑”。

惜不说明所据原书。

（六月五日又记）

关于割股

割股是中国特有的事情，在外国似乎不大多。但是老实说，我对于这件事很不喜欢，小时候看任渭长所画的《於越先贤像赞》，见卷下明吴孝子希汴的一张图，心里觉得很是讨厌，虽然他是在割他的脚八桠子。后来读民俗学的闲书，知道这与吃人的风俗有关，又从新感到兴趣。本来人肉有两种吃法，其一是当药用，其二是当菜用。当菜用又有两类，即经与权，常与暂。古时有些有权力的人就老实不客气地将人当饭吃，如历史上的舂碓[①]寨与两脚羊，在老百姓则荒年偶然效颦，到得有饭吃了大约也便停止，如历史上青州忠义之民逃往临安，一路吃着人腊。当药用的理由很简明，虽然李时珍在《本草纲目》卷五十二人部中极力反对，但是他说，“后世方技之士，至于骨肉胆血咸称为药，甚哉不仁也”，可见这在方技之士是很重要的药，而民间正是很信用他们的。据王渔洋《池北偶谈》卷二十三云：

顺治中安邑知县鹿尽心者，得痿痹疾，有方士挟乩术自称刘海蟾，教以食小儿脑即愈。鹿信之，辄以重价购小儿击杀食之，所杀甚众而病不减。复请于乩仙，复教以生食，因更生凿小儿脑吸之，杀死者不一，病竟不愈而死。事随彰闻，被害之家共置方士于法。

俞曲园先生《茶香室续钞》卷七引此文，以为士大夫而至于食人，可谓怪事，其实并不足怪，盖他们只是以人当药耳，至于不把人当人则是士大夫之通病也。此下所引亦是顺治康熙间事，见缪竹痴刻本明遗民吴野人《陋轩诗》卷十，题曰《吴氏》，有序云：

吴氏名伍，安丰场人，嫁鲁高。高父病笃，闻里人有割肉疗疾者，以其事语家人，欲高效之也。时高亦病，妇乃慨然代高，引刀割左肱肉，刀利切骨，血流十二昼夜死。见者莫不悲之。

诗凡十解，其四解云：

饮不宜汤液，啜不甘糜粥。
鬼伯促人命，鬼舅急人肉。

又九解云：

得肉舅乃愉，代夫妇乃死。
呜咽家人哭，何人能赎尔。

吴野人盖古之高士也，《陋轩诗》诚如《四库存目提要》所说，“生于明季，遭逢荒乱，不免多怨咽之音”，然其温柔敦厚则无可疑也，诗乃云得肉舅乃愉，岂不悲哉。此舅真太穷，惜不能如鹿尽心买肉吃耳，若其人盖亦铮铮之士大夫欤。

第三件事真真凑巧却也正是清初的，不，这事永远会有，也永远不能决定是哪一天的事，因为这是一个笑话。这见于石成金所编的《传家宝全集》中，原书刊于康熙年间，所以我姑且说是清初，其实是在现今也很多有的。原文云：

> 有父病，延医用药，医曰，病已无救，除非有孝心之子割股感格，或可回生。子曰，这个不难。医去，遂抽刀出，是时夏月，逢一人赤身熟睡门外，因以刀割其股肉一块。睡者惊起喊痛，子摇手曰，莫喊莫喊，割股救父母你难道不晓得是天地间最好的事么？

列[②]位莫笑，此子亦是太穷，买不起整个活人来送给他老太爷吃耳，若鲁高还买得一个老婆可以替代，并此而无之者自然只好出于白割人家股肉之一途了。割了人家的肉还叫他莫喊，似乎大有教猫脚爪去捞热灰里栗子的猴儿的手法，但是在相信人肉可医病这一点上，他总也是方技之士的门徒，与鹿大令鲁老爹同是赞成吃人的同志也。明太祖平生无一可取，只不准旌表割股割肝的孝子，可谓一线之明，这或者因为他是流氓出身而非士大夫之故欤？

（二十四年五月）

【锺校】

①“碓”原作“确”。

②“列”原作“历”。

情理[①]

管先生叫我替《实报》写点文章，我觉得不能不答应，实在却很为难。这写些什么好呢？

老实说，我觉得无话可说。这里有三种因由。一，有话未必可说。二，说了未必有效。三，何况未必有话。

这第三点最重要，因为这与前二者不同，是关于我自己的。我想对于自己的言与行我们应当同样地负责任，假如明白这个道理而自己不能实行时便不该随便说，从前有人住在华贵的温泉旅馆而嚷着叫大众冲上前去革命，为世人所嗤笑，至于自己尚未知道清楚而乱说，实在也是一样地不应当。

现在社会上忽然有读经的空气继续金刚时轮法会而涌起，这现象的好坏我暂且不谈，只说读九经或十三经，我的赞成的成分倒也可以有百分之十，因为现在至少有一经应该读，这里边至少也有一节应该熟读。这就是《论语》的《为政第二》中的一节：

子曰，由，诲女知之乎，知之为知之，不知为不知，是知也。

这一节话为政者固然应该熟读，我们教书捏笔杆的也非熟读不可，否则不免误人子弟。我在小时候念过一点经史，后来又看过一点子集，深感到这种重知的态度，是中国最好的思想，也与苏格拉底可以相比，是科学精神的源泉。

我觉得中国有顶好的事情，便是讲情理，其极坏的地方便是不讲情理。随处皆是物理人情，只要人去细心考察，能知者即可渐进为贤人，不知者终为愚人，恶人。《礼记》云，饮食男女人之大欲存焉，死亡贫苦人之大恶存焉。《管子》云，仓廪实则知礼节，衣食足则知荣辱。这都是千古不变的名言，因为合于情理。现在会考的规则，功课一二门不及格可补考二次，如仍不及格，则以前考过及格的功课亦一律无效。这叫作不合理。全省一二门不及格学生限期到省会考，不考虑道路的远近，经济能力的及不及。这叫作不近人情。教育方面尚如此，其他可知。

这所说的似乎专批评别人，其实重要的还是借此自己反省，我们现在虽不做官，说话也要谨慎，先要认清楚自己究竟知道与否，切不可那样不讲情理地乱说。说到这里，对于自己的知识还没有十分确信，所以仍不能写出切实有主张的文章来，上边这些空话已经有几百字，聊以塞责，就此住笔了。

（二十四年五月）

【鄢校】

①本文曾以同名收入《苦竹杂记》，唯彼处文末多一附记。

后记

去年秋天到日本去玩了一趟，有三个月没有写什么文章，从十月起才又开始写一点，到得今年五月底，略一检查存稿，长长短短却一总有五十篇之谱了。虽然我的文章总是写不长，长的不过三千字，短的只千字上下罢了，总算起来也就是八九万字，但是在八个月里乱七八糟[①]地写了这些，自己也觉得古怪。无用的文章写了这许多，一也。这些文章又都是那么无用，又其二也。我原是不主张文学有用的，不过那是就政治经济上说，若是给予读者以愉快、见识以至智慧，那我觉得却是很必要的，也是有用的所在。可惜我看自己的文章在这里觉得很不满意，因为颇少有点用的文章，至少这与《夜读抄》相比显然看得出如此。我并不是说《夜读抄》的文章怎么地有用得好，但《夜读抄》的读书的文章有二十几篇，在这里才得其三分之一，而讽刺牢骚的杂文却有三十篇以上，这实在太积极了，实在也是徒劳无用的事。宁可少写几篇，须得更充实一点，意思要诚实，文章要平淡，庶几于读者稍有益处。这一节极要紧，虽然尚须努力，请俟明日。

五月三十一日我往新南院去访平伯，讲到现在中国情形之危险，前日读《墨海金壶》本的《大金吊伐录》，一边总是敷衍或取巧，一边便申斥无诚意，要取断然的处置，八百年前事，却有昨今之感，可为寒心。近日北方又有什么问题如报上所载，我们不知道中国如何应付，看地方官厅的举动却还是那么样，只管女人的事，头发，袖子，袜子，衣衩等，或男女不准同校，或男女准同游泳，这都是些什么玩意儿，我真不懂。我只知道，关于教育文化诸问题信任官僚而轻视学人，此事起始于中小学之举行会考，而统一思想运动之成功，则左派朋友的该项理论实为建筑其基础。《梵网经》有云：

> 如狮子身中虫自食狮子肉，非馀外虫，如是，佛子自破佛法，非外道天魔能破坏。

我想这话说得不错。平伯听了微笑对我说，他觉得我对于中国有些事情似乎比他还要热心，虽然年纪比他大，这个理由他想大约是因为我对于有些派从前有点认识，有过期待。他这话说得很好，仔细想想也说得很对。自辛丑以来在外游荡，我所见所知的人上下左右总计起来，大约也颇不少。因知道而期待，而责备，这是一条路线。但是，也可因知道而不期待，而不责备，这是别一条路线。我走的却一直是那第一路，不肯消极，不肯逃避现实，不肯心死，说这马死了，——这真是“何尝非大错而特错”。不错的是第二路。这条路我应该能够走，因为我对于有许多人与物与事都有所知。见橐驼固不怪他肿背，见马也不期望他有一天背会肿，以驼呼驼，以马称马，此动物学的科学方法也。自然主义派昔曾用之于小说矣，今何妨再来借用，自然主义的文学虽已过时而动物学则固健在，以此为人生观的基本不亦可乎。

我从前以责备贤者之义对于新党朋友颇怪其为统一思想等等运动建筑基础，至于党同伐异却尚可谅解，这在讲主义与党派时是无可避免的。但是后来看下去情形并不是那么简单，在文艺的争论上并不是在讲什么主义与党派，就只是相骂，而这骂也未必是乱骂，虽然在不知道情形的看去实在是那么离奇难懂。这个情形不久我也就懂了。事实之奇恒出小说之上，此等奇事如不是物证俨在正令人不敢轻信也。新党尚如此[2]。

总之在现今这个奇妙的时代，特别是在中国，党得什么话都无可说。老的小的，村的俏的，新的旧的，肥的瘦的，见过了不少，说好说丑，都表示过一种敬意，然而归根结蒂全是徒然，都可不必。从前上谕常云，知道了，钦此。知道了那么这事情就完了，再有话说，即是废话。我很惭愧老是那么热心，积极，又是在已经略略知道之后，难道相信天下真有“奇迹”么？实实是大错而特错也。以后应当努力，用心写好文章，莫管人家鸟事，且谈草木虫鱼，要紧要紧。

（二十四年六月一日，知堂于北平）

【锺校】

①“糟”原作“遭”。

②原文如此。

附录：《苦茶随笔》小引①

十七年春间想到要写《夜读抄》，曾做了一篇小引，其文曰：

幼时读古文，见《秋声赋》第一句云，“欧阳子方夜读书”。辄涉幻想，仿佛觉得有此一境，瓦屋纸窗，灯檠茗碗，室外有竹有棕榈，后来虽见“红袖添香夜读书”之句，觉得也有趣味，却总不能改变我当初的空想。先父在日，住故乡老屋中，隔窗望邻家竹园，常为言其志愿，欲得一小楼，清闲幽寂，可以读书，但先父侘傺不得意，如卜者所云，“性高于天，命薄如纸”，才过本寿，遽以痼疾卒，病室乃更湫隘，窗外天井才及三尺，所云理想的书室仅留其影像于我的胸中而已。我自十一岁初读《中庸》，前后七八年，学书不成，几乎不能写一篇满意的文章，庚子之次年遂往南京充当水兵，官费读书，关饷以作零用，而此五年教练终亦无甚用处，现在所记得者只是怎样开枪和爬桅竿等事。以后奉江南督练公所令派往日本改习建筑，则学“造房子”，又终于未成，乃去读古希腊文拟改译《新约》，虽然至今改译也不曾实行，——这个却不能算是我的不好，因为后来觉得那官话译本已经适用，用不着再去改译为古奥的文章了。这样我终于没有一种专门的学问与职业，二十年来只是打杂度日，如先父所说的那样书室我也还未能造成，只存在我的昼梦夜梦之间，使我对于夜读也时常发生一种爱好与憧憬。我时时自己发生疑问，像我这样的可以够得上说是读书人么？这恐怕有点难说罢。从狭义上说，读书人应当就是学者，那我当然不是。若从广义上说来，凡是拿着一本书在读，与那不读的比较，也就是读书人了，那么或者我也可以说有时候是在读书，夜读呢，那实在是不，因为据我的成见夜读须得与书室相连的，我们这种穷忙的人哪里有此福分，不过还是随时偷闲看一点罢了。看了如还有工夫，便随手写下一点来，也并无什么别的意思，只是不愿意使自己的感想轻易就消散，想叫他多少留下一点痕迹，所以写下几句。因为觉得夜读有趣味，所以就题作《夜读抄》，其实并不夜读已如上述，而今还说诳称之曰夜读者，此无他，亦只是表示我对于夜读之爱好与憧憬而已。民国十七年一月三日于北京。

光阴荏苒，四年的时光差不多过去了，《夜读抄》还只写了一节，检出来看，殊不胜其感慨。小引的文章有些近于感伤，略有点不喜欢，但是改也可以不必了，而写《夜读抄》之类的意思却还是有，实在这几年来时时想到，只是总没有动笔的兴致，所以终于搁下。这回因友人们的策励，决心再来续写，仍将旧引抄上，总题目改为《苦茶随笔》，盖言吃苦茶时所写者耳。

在这小文章里所说的大抵是关于书或人，向来读了很受影响或是觉得喜欢的，并不是什么新著的批评介绍，实在乃是一种回忆罢了。这里所谈差不多都是外国的东西，这当然不是说中国的无可谈，其原因很简单，从小读中国书惯了，就不以为奇，所受影响自己也不大觉得，所以有点茫然，即使想说也有无从说起之概。中国思想大约可以分为儒道释三家，释道二氏之说有时觉得极透彻可喜，但自己仔细思量，似乎我们的思想仍以儒家为大宗，我想这也无可讳言，不过尚不至于与后世的儒教徒合流，差堪自慰耳。古代文人中我最喜诸葛孔明与陶渊明，孔明的《出师表》是早已读烂了的古文，也是要表彰他的忠武的材料，我却取其表现不可为而为之的精神，是两篇诚实的文章，知其不可而为之确是儒家的精神，但也何尝不即是现代之生活的艺术呢？渊明的诗不必再等我们来恭维，早有定评了，我却很喜欢他诗中对于生活的态度。所谓“衣沾不足惜，但使愿无违”，似乎与孔明的同是一种很好的生活法。六朝的著作我也有些喜欢，如《世说新语》《洛阳伽蓝记》《颜氏家训》等，末一种尤有意思，颜之推虽归依佛教，而思想宽博，文辞恬澹，几近渊明，《终制》一篇与自挽诗有殊途同归之致，常叹中国缺少如兼好法师那样的人，唯颜之推可与抗衡，陶公自然也行，只是散文流传太少，不足以充分表现罢了。降至明季公安竟陵两派的文章也很引动我的注意，三袁虽自称上承白苏，其实乃是独立的基业，中国文学史上言志派的革命至此才算初次成功，民国以来的新文学只是光复旧物的二次革命，在这一点上公安派以及竟陵派（可以算是改组派罢？）运动是很有意思的，而其本身的文学亦复有他的好处，如公安之三袁，伯修、中郎、小修，竟陵之谭友夏、刘同人、王季重，以及集大成的张宗子，我觉得都有很好的作品，值得研究和诵读。但是，我只是罗列个人偏好的几类文章，还没有敢来批评讲解的力气和意思，所以暂且不多谈了。此外尚有八股试帖诗钟对联灯谜等东西，我也很看重他们，觉得要了解中国古今的文学实有旁通这些学问的必要，很想对于他们作一严肃的研究，不过这是五年十年的事业，现在这种涉猎只是吃路旁草，够不上说起头，自然更不配来开口了。

民国二十年十一月九日，于北平。

【鄢校】

①此文为作者于1931年给《东方杂志》撰写总题为“苦茶随笔”系列文章之小引。该系列仅发表《黄蔷薇》《远野物语》后遂告终止。二文后编入《夜读抄》一书，小引则收入了《苦雨斋序跋文》。

图书在版编目(CIP)数据

苦茶随笔/周作人著作;锺叔河编订. —长沙:岳麓书社,2019.1
(2022.7 重印)

ISBN 978-7-5538-0897-0

Ⅰ.①苦…　Ⅱ.①周…②锺…　Ⅲ.①杂文集—中国—现代
Ⅳ.①I266.1

中国版本图书馆 CIP 数据核字(2018)第 035450 号

KU CHA SUIBI

苦茶随笔

周作人著作　锺叔河编订

特约编辑:鄢　琨

责任编辑:蒋　浩

责任校对:舒　舍

书籍设计:风格八号

岳麓书社出版发行

地址:湖南省长沙市爱民路 47 号

直销电话:0731-88804152　0731-88885616

邮编:410006

版次:2019 年 1 月第 1 版

印次:2022 年 7 月第 3 次印刷

开本:787mm×1092mm　1/32

印张:8.75

字数:142 千字

印数:7 001—9 000

书号:ISBN 978-7-5538-0897-0

定价:26.00 元

承印:长沙鸿发印务实业有限公司

如有印装质量问题,请与本社印务部联系

电话:0731-88884129